Les récits de Perceval le Gallois sont adaptés du roman de Chrétien de Troyes dans la traduction de Lucien Foulet.

Ceux de Lancelot du Lac s'inspirent, sur certains points, du Lancelot du Lac *de Florence Trystram, publié à la librairie Séguier.*

Cette édition des Contes et Légendes est une version adaptée pour les jeunes lecteurs d'aujourd'hui.

JACQUELINE MIRANDE
D'APRÈS CHRÉTIEN DE TROYES

LES CHEVALIERS DE LA TABLE RONDE

Illustrations d'Odile Alliet

Arthur

LA NAISSANCE
D'ARTHUR

Il y a très longtemps de cela, vivait au royaume de Bretagne un homme étrange nommé Merlin. On l'appelait « l'Enchanteur » car il possédait cent pouvoirs plus extraordinaires les uns que les autres. Il savait le passé, prédisait l'avenir, pouvait prendre n'importe quelle apparence, soulever une tour, si haute soit-elle, marcher sur un étang sans se mouiller les pieds, faire naître une rivière, un château, un paysage… Bref, Merlin l'Enchanteur était un magicien.

Il aimait beaucoup le roi de Grande-Bretagne, Uter Pendragon. Il l'avait aidé à reconquérir son trône après que le traître Voltiger l'en eut chassé.

Or, un jour, le roi décida de se marier. Il donna une grande fête dans son château de Carduel, au pays de Galles.

Tous les seigneurs des environs vinrent avec leurs épouses et leurs filles.

Parmi eux, il y avait le duc de Tintagel et sa femme, la belle Ygerne. Dès que le roi la vit, il en devint follement amoureux.

Mais la belle Ygerne aimait son mari et le roi se désespérait à en mourir. Il appela Merlin à son secours et lui exposa son tourment.

– Sire, dit Merlin, si je vous aide, me donnerez-vous ce que je vous demanderai maintenant ou plus tard, quel que soit ce que je vous demande ?

Le roi promit.

Merlin fit alors préparer les chevaux et partit avec lui pour le château de Tintagel.

Or,
un jour,
le roi
décida de
se marier.

Lorsqu'ils arrivèrent en vue de l'enceinte fortifiée, il était déjà tard. La nuit était venue, sombre, sans étoiles ni lune.

Merlin cueillit une touffe d'herbe et ordonna au roi de s'en frotter le visage. Il obéit et vit avec stupeur que ses traits et son corps étaient devenus absolument semblables à ceux du duc de Tintagel !

Tous s'y trompèrent : les guetteurs qui, croyant reconnaître leur seigneur, abaissèrent le pont-levis, les valets d'armes, les serviteurs et… la belle Ygerne qui, le prenant pour son mari, passa la nuit avec lui.

Le roi repartit au matin, plus amoureux que jamais. Or, la semaine n'était pas achevée qu'on apprenait la mort du duc. Il avait été tué au combat cette même nuit où la belle Ygerne l'avait cru de retour.

Elle en fut très troublée mais n'osa en parler à personne. Elle était désormais veuve, le roi demanda sa main. Elle accepta. Toutefois, par honnêteté, elle lui conta comment, une

certaine nuit très sombre, elle avait cru voir
son mari. Le roi sourit. Mais elle ajouta que,
de cette étrange nuit, un enfant allait naître.
Là, le roi soupira car il ne pouvait lui révéler
sa supercherie. Ils décidèrent de garder cette
naissance secrète.

Un petit garçon naquit.

Merlin, alors, se présenta devant le roi et lui
rappela sa promesse. Il voulait l'enfant. Le roi
le lui donna. Merlin le confia à l'un des plus
nobles chevaliers du royaume, Antor. Sa
femme elle-même le nourrit de son lait aux
côtés de leur propre fils, Keu.

L'enfant avait été appelé Arthur. Et nul ne
se doutait du fabuleux destin qui l'attendait.

ARTHUR DEVIENT ROI

Arthur avait seize ans et vivait toujours auprès d'Antor qui l'élevait comme son propre fils – lorsque mourut le roi Uter Pendragon.

Le royaume restait sans héritier, et une terre sans maître ne vaut guère ! Les grands barons, ne pouvant se mettre d'accord sur le choix d'un nouveau roi, allèrent demander conseil à Merlin.

– Dis-nous qui choisir ! Nous te faisons confiance.

Merlin répondit après avoir réfléchi :

Une épée était enfoncée dans la pierre...

– Ce sera bientôt Noël. Réunissez pour cette fête tous les nobles du royaume et attendez le signe que Dieu vous enverra.

Tous se réunirent donc, la veille de Noël, à Logres, autour de l'archevêque. Antor était venu avec Arthur et son fils Keu.

Chacun attendait le signe que Merlin avait annoncé. Or, le matin de Noël, en sortant de l'église, tous virent, devant le porche, une grande pierre carrée. Venue d'où ? Nul ne le savait ! Les uns disaient, « du ciel », les autres, « du diable ! »

L'archevêque s'en approcha. Une épée était enfoncée dans la pierre jusqu'à la garde[1] et le pommeau[2] portait, gravé en lettres d'or : « Celui qui pourra retirer l'épée sera roi. » Tous les nobles commencèrent à se disputer pour savoir qui serait le premier à tenter l'entre-

---

1. Garde, *n. f.* : rebord placé entre la lame et la poignée, et servant à protéger la main.
2. Pommeau, *n. m.* : tête arrondie de la poignée d'une épée.

prise, tant elle semblait facile ! Ils déchantèrent vite : aucun ne put enlever l'épée.

Les adolescents regardaient, moqueurs, leurs aînés.

– Pourquoi ne pas essayer nous aussi ? demanda Arthur.

On le leur permit. Arthur s'avança vers la pierre, saisit l'épée, tira. Elle vint aussi aisément que si elle avait été plantée dans du beurre !

Tous regardaient, stupéfaits. La lame de l'épée étincelait comme une poignée de cierges allumés. Elle portait gravé son nom : Excalibur.

Les grands barons, revenus de leur étonnement, grognèrent : était-il possible que ce jeune homme, qui n'était pas encore chevalier[1] et dont la naissance était obscure, fût le roi désigné par le ciel ?

_____

1. Chevalier, *n. m.* : seigneur de souche noble possédant des terres, admis dans l'ordre de la chevalerie.

L'archevêque les apaisa.

– Attendons la fête de la Chandeleur[1], dit-il avec sagesse. Nous renouvellerons l'épreuve et, après seulement, nous déciderons.

Mais, quand vint la Chandeleur, il fallut se rendre à l'évidence : Arthur, et lui seul, pouvait retirer l'épée fichée dans la pierre.

Le signe du ciel était clair. Mais les nobles ne désarmaient pas encore !

Ils demandèrent à Arthur de repousser jusqu'à la Pentecôte[2] la cérémonie du sacre[3] qui le ferait roi. Ainsi, pensaient-ils, ils auraient le temps de le juger.

Conseillé par Merlin – qui était resté auprès de lui –, Arthur accepta. Et il se conduisit si généreusement et si loyalement qu'il s'attira l'estime de tous les grands barons. Ils ne

---

1. Chandeleur : fête catholique célébrée le 2 février.

2. Pentecôte : fête chrétienne célébrée le septième dimanche après Pâques.

3. Sacre, *n. m.* : cérémonie par laquelle l'Église confirme la souveraineté royale.

purent trouver en lui le moindre défaut et durent s'incliner.

Merlin leur révéla alors le secret de sa naissance et comment ils avaient élu, sans le savoir, le fils de leur roi défunt. La satisfaction fut grande chez tous.

Arthur fut couronné roi le matin de la Pentecôte.

Tenant l'épée Excalibur entre ses mains jointes, il l'éleva et jura de faire régner sur la terre, dans la mesure de ses forces, la paix, la loyauté et la justice.

III

LE MARIAGE D'ARTHUR

LE serment fait au jour du sacre fut bien vite mis à l'épreuve.

Le roi de Carmélide, Léodagan, fut attaqué traîtreusement par son voisin, le redoutable Claudias de la Déserte. Léodagan était vieux, les forces des deux armées inégales. Il était à craindre qu'il ne fût vaincu.

Pourtant, Arthur hésitait à quitter sa terre pour secourir Léodagan. Mais Merlin – dont il ne pouvait plus se passer tant il appréciait ses conseils – le convainquit de lui prêter main-forte.

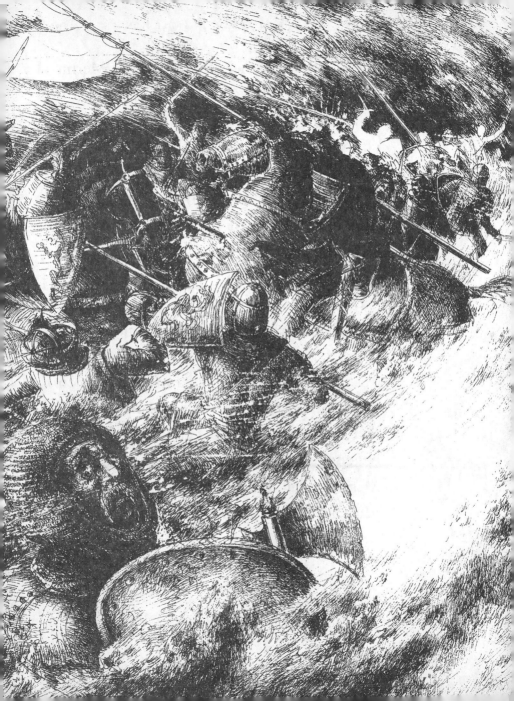

Arthur partit donc, accompagné de Merlin et de quarante chevaliers.

Ils arrivèrent en Carmélide au début du combat. On apercevait les premiers coureurs[1] ennemis et la fumée des incendies. Merlin déploya sa bannière[2] brodée d'une tortue et d'un dragon qui semblait cracher des flammes. Arthur et ses compagnons s'élancèrent dans la bataille.

Les lances se heurtaient, les épées frappaient heaumes et écus. On aurait cru entendre le tonnerre !

Les hommes de Léodagan furent vite en mauvaise posture. Le roi lui-même tomba à terre, son cheval tué d'un coup de javelot. Les ennemis l'entouraient. Il était perdu ! Mais Merlin veillait. Il donna un coup de sifflet. Un vent violent se leva, fit tourbillonner des flots

---

1. Coureur, *n. m.* : éclaireur.
2. Bannière, *n. f.* : drapeau d'un seigneur à la guerre.

20

de poussière qui aveuglèrent les soldats de Claudias. Ils s'enfuirent et, pour achever leur déroute, le dragon peint sur la bannière de Merlin se mit à cracher de vraies flammes sur les tentes ennemies qui s'embrasèrent aussitôt.

Après cette victoire, le roi Léodagan conduisit Arthur, ses quarante chevaliers et Merlin jusqu'à son palais. Sa fille, la belle Guenièvre, était là pour les accueillir.

Dès le premier instant où elle vit Arthur, il lui plut. Et lui, de son côté, ne pouvait détourner le regard de ses tresses blondes et de ses yeux rieurs.

Merlin, qui connaissait l'avenir, eut un sou-rire amusé. Il savait que ces deux-là allaient  bientôt se fiancer et que la belle Guenièvre serait reine aux côtés d'Arthur. Ce qui se fit un peu plus tard.

Par un beau jour d'été, devant tous les barons des deux royaumes assemblés, les nobles, les bourgeois et le peuple, Guenièvre épousa Arthur. On dansa au son des violons, des flûtes et des chalumeaux[1], on fit bombance. Le vin coula à flots. Ce fut un beau mariage dont les gens se souvinrent longtemps...

---

1. Chalumeau, *n. m.* : flûte, composée d'une simple tige percée de trous.

IV

LES CHEVALIERS
DE LA TABLE RONDE

QUELQUE temps après son mariage avec Guenièvre, le roi Arthur décida de donner une fête le jour de la Pentecôte. Il y invita tous les gens de sa cour et tous ses chevaliers, accompagnés de leurs épouses et de leurs filles.

Il en vint même des royaumes voisins, tant la renommée d'Arthur était grande. Et grande aussi leur curiosité ! Car le roi Arthur avait dit que seraient choisis, ce jour-là, les douze chevaliers admis à prendre place autour de la fameuse Table Ronde.

Cette table était un cadeau de Merlin. Et, à une époque où toutes les tables étaient longues, sa forme ronde étonnait. Elle ne comportait, de ce fait, ni haut bout, ni bas bout[1], et tous y siégeaient en égaux.

Elle rappelait aux uns le cercle que formaient autour de leur roi les guerriers celtes[2] des premiers temps ; à d'autres la rondeur du monde, des planètes et des étoiles...

Merlin l'expliquait très bien. Et tous, réunis auprès du roi en ce jour de Pentecôte, l'écoutaient raconter le pourquoi de cette table et la merveilleuse histoire du Graal.

Le Graal était une coupe mystérieuse qui avait contenu le sang du Christ et que Joseph d'Arimathie avait transmise au roi Bron et à ses descendants.

---

1. Haut bout, bas bout : le seigneur s'installait à un bout de la table (le haut bout) et les plus misérables à l'autre bout (le bas bout). La table symbolisait la hiérarchie à respecter.

2. Celte, *adj.*: désigne un groupe de peuples dont la civilisation s'étendit sur l'Europe de l'Ouest, du Xe siècle au IIIe siècle avant J.-C.

– Le Graal est dans ce pays, précisa Merlin. Chez le Roi Pêcheur. Mais il ne confiera la coupe qu'à celui qui aura su trouver sa demeure et répondre aux questions qu'il posera. Seul un chevalier surpassant tous les autres en honneur et en loyauté y parviendra. Il siégera alors à la treizième place de cette table qui restera inoccupée jusqu'à sa venue.

À peine achevait-il de parler que sur chacun des douze sièges parut un nom en lettres d'or. Sur le treizième seul il n'y avait rien d'inscrit.

Ainsi prirent place, pour la première fois ce jour-là, autour de la table présidée par le roi Arthur, les « chevaliers de la Table Ronde ». On ne les désignait plus désormais que sous ce nom.

Peu après, Merlin quitta la cour pour toujours, à la grande tristesse du roi. Il allait vivre en Petite-Bretagne, dans la forêt de Brocéliande, près de la fée Viviane qu'il aimait. Elle avait appris de lui certains enchantements qui le retenaient prisonnier dans un cercle

Merlin quitta la cour pour toujours.

magique. Il aurait pu le rompre mais ne le voulut pas et resta près d'elle jusqu'à sa fin.

Quant aux chevaliers, l'un après l'autre, ils tentèrent l'aventure et partirent à la recherche du Roi Pêcheur et du Graal.

La reine Guenièvre avait chargé quatre clercs[1] du royaume de mettre par écrit leurs aventures.

C'est ainsi qu'entrèrent dans la légende les exploits des plus célèbres parmi les chevaliers de la Table Ronde : Perceval le Gallois et Lancelot du Lac.

---

1. Clerc, *n. m.* : a) Moine. b) Personne instruite, lettrée.

Perceval
le Gallois

I

PERCEVAL ET
LE CHEVALIER VERMEIL

La première fois qu'il vint à la cour du roi Arthur, Perceval était un très jeune homme, grand, beau de visage, et de naissance noble, mais à demi sauvage.

En effet, sa mère l'avait élevé dans un manoir isolé du pays de Galles sans lui dire un mot de la chevalerie, sans lui laisser voir un seul chevalier, tant elle craignait qu'il ne meure au combat comme, avant lui, son père et ses deux frères. Or, un jour qu'il chassait dans la forêt, il rencontra une troupe de chevaliers qui s'en allaient auprès du roi Arthur. Il les regarda, d'abord ébahi puis émerveillé par leurs épées, leurs armures et par ce qu'ils racontaient de la cour du roi – toutes choses inconnues de lui jusque-là.

Il n'eut plus qu'une idée : leur ressembler et partir, lui aussi, à la cour du roi Arthur.

Sa mère ne put le retenir et céda. Elle lui prépara une grosse chemise de chanvre qu'elle avait elle-même tissée, des braies[1] à la mode de Galles, y joignit une cotte et un chaperon de cuir de cerf. Puis elle l'embrassa en pleurant.

– Beau fils, dit-elle, ma douleur est grande de vous voir partir. Nul doute que le roi Arthur ne vous prenne à son service et ne vous donne les armes dont vous rêvez. Mais, quand il faudra vous en servir, comment ferez-vous ? Pas trop bien, j'en ai peur ! Vous ne serez guère adroit, car on ne peut savoir ce qu'on n'a pas appris...

---

1. Braies, *n. f. pl.* : sorte de pantalon ample.

Elle soupira et reprit :

– Écoutez toutefois. Voici mes trois recommandations : honorez les dames, suivez les conseils des prud'hommes[1] et priez Dieu de vous donner honneur en ce siècle et bonne fin[2].

Le cheval était déjà sellé. Perceval embrassa sa mère et partit.

Il chevaucha depuis le matin jusqu'au déclin du jour et passa la nuit dans la forêt. À son réveil, il vit venir un charbonnier menant un âne. Il l'arrêta.

– Quel est le plus court chemin pour aller à Carduel, chez le roi Arthur ?

Le charbonnier le lui indiqua. Perceval le prit.

Bientôt, il aperçut, dominant la mer, un beau et fort château. Un chevalier en sortait, tenant dans sa main droite une coupe en or et

___
1. Prud'homme, *n. m.* : un homme important, à la fois sage et droit.
2. Bonne fin : une mort honorable.

dans sa gauche, sa lance et son écu[1]. Il portait une armure vermeille[2] toute neuve. Elle plut à Perceval et, dans son innocence, il pensa que, s'il la demandait au roi, il l'obtiendrait.

Et, plus naïvement encore, il le dit au chevalier :

– Je vais à la cour demander vos armes au roi.

Le chevalier se mit à rire mais Perceval était déjà reparti.

Tout d'une haleine, il arriva dans la salle où le roi et ses chevaliers étaient assis, parlant et plaisantant. Seul, le roi Arthur, placé au haut bout de la table, restait pensif et muet.

Perceval, ignorant les usages, s'avança, toujours à cheval, et mena la bête si près du roi que ce dernier, sortant de ses pensées, regarda ce jeune homme inconnu qui le

---

1. Écu, *n. m.* : bouclier.
2. Vermeil, *adj. :* en argent recouvert d'une couche d'or un peu rouge.

saluait en le fixant de ses yeux clairs. Il vit qu'il était vêtu à la mode des Gallois et chaussé de gros brodequins[1], qu'il avait pour seules armes deux javelots et qu'autour de la table, tous commençaient à se moquer de lui.

Courtoisement, le roi dit :

– Soyez le bienvenu. Si je réponds mal à votre salut, c'est que le chagrin m'empêche de parler. Mon pire ennemi, le chevalier Vermeil de la forêt de Quinqueroi, est venu ici, ouvertement, me menacer et il a eu l'audace folle de saisir ma propre coupe et de répandre sur la reine Guenièvre tout le vin qu'elle contenait !

– Si c'est celui que j'ai rencontré devant la porte et qui s'en va avec votre coupe, dit Perceval, donnez-moi ses armes, car je veux être le chevalier Vermeil !

Il y eut des rires. Et Keu, le sénéchal[2], frère

----

1. Brodequin, *n. m.* : chaussure d'étoffe ou de peau, recouvrant le pied et le bas de la jambe.
2. Sénéchal, *n. m.* : grand officier royal.

de lait[1] du roi Arthur, toujours un peu jaloux, aigre et prêt à se moquer, dit tout haut :

— Allez donc les lui enlever, ami ! N'attendez pas ! Elles sont à vous !

Perceval ne comprit pas qu'il se moquait de lui, mais le roi se fâcha :

— Keu ! Je vous en prie ! Vous dites volontiers des choses déplaisantes. Pour un prud'homme, ce n'est pas beau. Ce garçon est peut-être de noble sang et, s'il n'a pas encore de manières, il peut les acquérir et devenir un preux[2] !

À ce moment, Perceval aperçut une belle jeune fille assise à la table et, se rappelant le conseil de sa mère, la salua. Elle se mit à rire en le regardant. Il lui semblait un peu fou, mais, comme elle le trouvait beau, elle lui dit :

— Si tu vis assez longtemps, mon cœur me

1. Frère de lait : se dit de deux enfants ayant été nourris par le lait de la même nourrice, et élevés ensemble.
2. Preux, *n. m.* : un chevalier brave et vaillant.

dit que, dans tout le vaste monde, nul chevalier ne te surpassera !

Elle parla si fort que tous l'entendirent et elle rit de nouveau. Or, elle n'avait pas ri depuis plus de six ans. Keu, très irrité de ses paroles, bondit et, de la paume de la main, lui donna un coup si rude qu'il la jeta à terre. En regagnant sa place, il aperçut le fou[1] du roi qui déclarait :

– Je l'ai toujours dit : cette fille ne rira que le jour où elle verra celui qui aura le prix de toute chevalerie !

Le fou se tenait debout près de la cheminée. Keu, plein de colère et de dépit[2], le lança, d'un coup de pied, dans le feu. Le fou crie, la fille pleure... et Perceval s'en va, sans conseil de qui que ce soit, et, sans plus attendre, à la recherche du chevalier Vermeil.

Le chevalier avait posé la coupe d'or sur

---

1. Fou, *n. m.* : bouffon attaché à la personne du roi ou du prince.
2. Dépit, *n. m.* : amertume, jalousie.

une grosse pierre et s'était assis à côté, attendant combat et aventure. Perceval, dès qu'il l'aperçut, lui cria :

– Le roi Arthur vous ordonne de me donner vos armes !

Le chevalier Vermeil toisa[1] Perceval et dit avec mépris :

– Est-ce là le champion qu'il a trouvé pour défendre sa cause ?

– Quittez ces armes à l'instant, cria Perceval, en colère, ou je vous en dépouille[2] !

Le chevalier leva alors, à deux mains, sa lance pour l'abattre sur Perceval qui, au même instant, lançait sur lui un de ses javelots. Il frappa le chevalier Vermeil à la tête et l'étendit raide mort.

Perceval lui enleva son armure, s'en revêtit maladroitement, car il n'avait l'habitude ni de se coiffer du heaume, ni de mettre un

---

1. Toiser, *v. tr.* : regarder avec mépris.
2. Dépouiller, *v. tr.* : arracher, enlever.

haubert, ni d'attacher des éperons, ni même de ceindre une épée. Il fallut qu'un chevalier du roi Arthur, qui était sorti du château pour voir la scène, l'aide. Perceval l'en remercia, puis lui tendit la coupe d'or :

– Portez au roi sa coupe et saluez-le de ma part. Quant à la fille qui a été frappée, dites-lui que je reviendrai, si je le peux, pour la venger !

Et il s'en alla.

Quand le chevalier rapporta sa coupe au roi et raconta le combat, il y eut autour de la table bien des exclamations. Et le fou, tout content, s'écria :

– Le garçon reviendra et Keu paiera bien cher le coup de pied qu'il m'a lancé et le soufflet[1] qu'il donna à la fille. Vous verrez, il lui brisera le bras droit !

Keu était si gonflé de colère qu'il aurait aimé tuer le fou sur-le-champ. Mais il se

---

1. Soufflet, *n. m.* : gifle.

contint à cause du roi qui disait d'un ton
désolé :

– Quel dommage d'avoir laissé partir ce
garçon sans même connaître son nom ! Il
ignore tout des armes mais, si on lui avait
appris l'emploi de la lance, de l'écu et de
l'armure, quel bon chevalier il aurait fait !

II

PERCEVAL
DEVIENT CHEVALIER

Après avoir tué le chevalier Vermeil, Perceval ne s'attarda pas à vagabonder dans la forêt. Il alla droit devant lui et parvint à un endroit découvert que bordait une rivière. Il y avait là un château de belle allure, ceint de murs flanqués de quatre fortes tours. Au bout, un pont-levis fidèle à sa mission : pont le jour, porte close la nuit ! Un prud'homme vêtu d'hermine[1] se promenait sur le pont.

---

1. Hermine, *n. f.* : fourrure blanche tachetée de noir.

Perceval, se souvenant du second conseil de sa mère, s'avança et le salua.

Ils commencèrent à parler. Le prud'homme – qui se nommait Gornemant de Goort – prit en amitié le jeune Perceval. Son ignorance en matière de chevalerie le désola et il décida de lui apprendre à se servir de ses armes, à tenir sa lance, à éperonner et retenir son cheval, à combattre avec l'épée. Bref, à devenir un parfait chevalier.

Il garda Perceval un mois entier chez lui, mais déjà, après trois leçons, il s'émerveillait de le voir si agile, si doué.

Gornemant aurait aimé le garder plus longtemps, mais Perceval était jeune et l'aventure le tentait. Alors, son hôte décida qu'avant de partir Perceval serait adoubé[1] chevalier ici même et par lui.

---

1. Adouber, *v. tr.* : au Moyen Âge, un jeune homme noble était fait chevalier, recevait les armes et un équipement, au cours d'une cérémonie appelée l'adoubement.

Il lui fit apporter chemise et braies de fine toile de lin, des chausses teintes en rouge de Brésil et une cotte d'un drap de soie violet tissé en Inde.

Perceval s'en vêtit en place des habits grossiers qu'il portait.

Puis Gornemant se baissa et lui chaussa l'éperon droit, comme la coutume le voulait pour adouber un chevalier. Ensuite il prit l'épée, la lui mit au côté et lui donna l'accolade[1] en disant :

– Je vous confère l'ordre de chevalerie qui ne souffre aucune bassesse. Ne tuez pas votre adversaire vaincu s'il vous crie merci[2]. Gardez-vous de trop parler, aidez homme, dame ou demoiselle que vous verrez dans la détresse et ne manquez pas de prier Dieu pour votre âme.

___

1. Accolade, *n. f.* : coup donné avec le plat de l'épée sur l'épaule, qui accompagne la cérémonie par laquelle quelqu'un est armé chevalier.

2. Merci, *n. f.* : crier merci signifie demander grâce, pitié.

– Ma mère m'a parlé comme vous le faites, dit Perceval.

– Dites désormais que c'est de celui qui vous adouba chevalier que vous le tenez.

Et, faisant sur Perceval le signe de la croix, Gornemant ajouta :

– Dieu vous préserve et vous conduise ! Vous êtes impatient de partir. Allez donc et adieu !

III

PERCEVAL AU CHÂTEAU
DE BLANCHEFLEUR

Perceval chevaucha tout le jour dans la
forêt, solitaire. Il s'y trouvait chez lui, mieux
qu'à travers champs.

La nuit venait lorsqu'il aperçut un château
fort, bien situé mais, hors des murs, on ne
voyait que mer, eau et terre désolée.

Perceval passa un pont fort branlant et
frappa du poing à une porte.

Une fille maigre et pâle parut à la fenêtre :

– Qui appelle ?

– Un chevalier qui demande l'hospitalité pour la nuit.

La fille disparut et quatre hommes d'armes à l'aspect misérable vinrent ouvrir la porte.

Perceval les suivit à travers des rues désertes bordées de masures croulantes. Ni moulin pour moudre, ni four pour cuire, nulle trace d'homme ou de femme, deux couvents abandonnés...

Ils arrivèrent à un palais couvert d'ardoises. Un valet mena le cheval à une étable sans blé ni foin, à peine un peu de paille... Un autre conduisit Perceval jusqu'à une belle salle où deux hommes d'un certain âge et l'air affaibli vinrent à sa rencontre.

Une jeune fille les accompagnait. Ses yeux étaient riants et clairs, ses cheveux d'un blond d'or fin flottaient sur ses épaules couvertes d'un manteau de pourpre[1] sombre, étoilé de

---

1. Pourpre, *n. f.* : étoffe teinte en rouge vif, symbole de richesse ou d'un haut rang social.

vair[1] et bordé d'hermine – qui n'était pas râpée ! Plus belle que cette fille, il n'en fut jamais. Son nom était Blanchefleur.

Elle prit Perceval par la main, le conduisit dans une large chambre au plafond tout sculpté et le pria de s'asseoir à côté d'elle, sur le lit tendu de brocart[2].

– Acceptez notre maison telle qu'elle est. Rien n'y abonde, hélas, vous le verrez. Nous avons tout juste six miches de pain qu'un saint homme de prieur[3] qui est mon oncle m'envoya pour le souper de ce soir. Pas d'autres provisions, sauf un chevreuil qu'un de mes sergents tua ce matin.

Là-dessus, elle commande qu'on mette les tables. Tous s'assoient, et le repas fut bref. Perceval alla se coucher, la faim encore au

---

1. Vair, *n. m.* : fourrure de petit-gris, sorte d'écureuil de Russie.
2. Brocart, *n. m.* : riche tissu de soie, rehaussé de dessins en fil d'or ou d'argent.
3. Prieur, *n. m.* : supérieur d'un couvent, assurant la direction.

ventre. Mais les draps étaient bien blancs, l'oreiller moelleux, la couverture riche. Il s'endormit. Il fut réveillé par des pleurs tout proches de son visage. Surpris, il vit Blanche-fleur sanglotant à genoux devant son lit, un court manteau de soie écarlate juste jeté sur sa chemise.

– Belle, qu'y a-t-il ? Pourquoi êtes-vous venue ici ?

– Ne me jugez pas mal. Je suis désespérée. Voilà un long hiver et un long été que le sénéchal de Clamadeu des Îles, le perfide Anguingueron, nous assiège. Il ne reste que cinquante chevaliers sur les trois cents qui tenaient ici la garnison[1]. Les autres ont péri ou ils sont en prison. Nos vivres, vous l'avez vu, sont épuisés. Il n'y en aurait pas pour le déjeuner d'une abeille ! Demain nous rendrons le château et je serai livrée avec. Mais

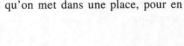

---

1. Garnison, *n. f.* : troupes qu'on met dans une place, pour en assurer la défense.

ils ne me prendront pas vivante. Je me tuerai avant. Voilà ce que je suis venue vous dire.

La fine mouche savait bien ce qu'elle faisait. Aucun chevalier ne pouvait supporter d'entendre de telles paroles. Perceval s'écria :

– Séchez vos pleurs, belle amie. Moi, demain, je vous défendrai ! Je provoquerai en combat singulier[1] Anguingueron le sénéchal et je le tuerai !

Le lendemain matin, il demanda ses armes, s'en revêtit, monta à cheval et sortit du château.

Anguingueron était assis devant sa tente, parmi les assiégeants. Il vit venir Perceval, s'arma, sauta en selle et cria :

– Viens-tu chercher la paix ou la bataille ?

– Réponds le premier : que fais-tu ici ? Tuer les chevaliers et ravager la terre ?

– Je veux que le château se rende, et la fille.

―――――――――

1. Combat singulier : combat entre une seule personne et un seul adversaire.

– Va au diable, toi et tes paroles !

Perceval abaissa sa lance et les deux adversaires se précipitèrent l'un sur l'autre de toute la vitesse de leur cheval. Le combat fut long et furieux mais, à la fin, le sénéchal s'abattit sur le sol. Il criait :

– Pitié ! Épargne-moi ! Ne sois pas si cruel !

Perceval se rappela le conseil du prud'homme Gornemant, et il hésita.

– Si tu as un seigneur, envoie-moi à lui, reprit le sénéchal. Je lui dirai ta victoire et m'en remettrai à lui de mon sort.

– Alors, tu iras chez le roi Arthur. Tu salueras le roi pour moi, tu te feras montrer la jeune fille qui fut frappée par Keu pour avoir ri en me voyant. À elle, tu te rendras prisonnier et tu lui diras que j'espère ne pas mourir avant de l'avoir vengée !

Perceval rentra au château sous les acclamations des assiégés. Et Blanchefleur, dès lors, l'aima.

Cependant, Clamadeu, croyant le château pris, accourt, emmenant avec lui quatre cents chevaliers et mille sergents. Il est vite détrompé !

Alors, usant de ruse déloyale, il dissimule ses hommes, ne montre que vingt chevaliers avec lesquels il attaque. Perceval et les hommes de Blanchefleur – sûrs de vaincre car ils sont plus nombreux – ouvrent les portes et chargent. Mais à peine se croient-ils victorieux que le gros des troupes de Clamadeu surgit.

Le combat devient trop inégal. Il leur faut se replier dans le château. Harcelés, poursuivis, ils referment à grand-peine les portes sur les assaillants. Par miracle, ils parviennent à faire tomber l'une d'elles sur les gens d'en dessous. Elle écrase et tue tous ceux qu'elle atteint dans sa chute ! Clamadeu ravale sa colère et renonce à poursuivre. À quoi bon faire encore tuer ses hommes quand, demain, la faim obligera les assiégés et Blanchefleur à

Clamadeu était fou de fureur !

se rendre ? On dresse donc les tentes pour camper.

Mais, ce même jour, un grand vent avait chassé sur la mer un bateau chargé de blé, de vin, de bacon salé, de bœufs et porcs prêts à être tués. Il aborda intact, droit devant le château. On imagine la joie de tous ! Les marchands, leur cargaison sauvée, faisaient, en la vendant, une bonne affaire et les assiégés pouvaient enfin manger !

Clamadeu était fou de fureur ! Inutile désormais d'espérer réduire le château par la famine ! Continuer le siège ne servirait à rien.

Il décida d'envoyer un message au château : il proposait au chevalier à l'armure vermeille qui avait vaincu et fait prisonnier Anguingueron, son sénéchal, un combat seul à seul. L'affrontement serait fixé au lendemain, avant midi.

Perceval accepta, malgré les supplications de tous et les prières de Blanchefleur – entre-

coupées de baisers, car ces deux-là commençaient à beaucoup s'aimer !

Le lendemain à l'heure dite, seuls sur la
lande, Clamadeu et Perceval s'affrontèrent à
la lance, puis à l'épée.

À la fin, Clamadeu dut s'avouer vaincu et,
tout comme son sénéchal, accepter les
mêmes conditions.

Il prit à son tour le chemin de la cour du roi
Arthur. Il arriva comme la reine Guenièvre, le
roi et toute leur suite revenaient d'entendre la
messe – car c'était une Pentecôte. Keu était là
aussi, et la fille au beau rire, et le fou…

Anguingeron, qui était arrivé la veille, courut au-devant de son seigneur pour l'accueillir.
Tous deux racontèrent les prouesses du chevalier à l'armure vermeille – dont personne ne
savait le nom ! – et transmirent son message
concernant la fille au beau rire et Keu.

Le fou sauta de joie, répétant sa prédiction :
– Je l'ai dit : malheur à Keu ! Le chevalier
lui rompra le bras et la clavicule et, toute

une moitié d'an, il devra porter son bras pendu à son cou !

Keu blêmit de colère. Le roi Arthur, lui, s'attrista de n'avoir pas su garder à sa cour ce garçon gallois, inconnu et à demi sauvage, qui était devenu si vite un si bon chevalier ! Pendant ce temps, Perceval vivait des jours d'une étrange douceur près de la belle Blanchefleur qui lui avait mis l'amour au cœur ! Et, s'il l'avait voulu, elle lui aurait donné tout son domaine.

Mais il souhaitait retourner auprès du roi Arthur.

Il promit tant de revenir que Blanchefleur, fort triste, finit par le laisser partir.

IV
PERCEVAL CHEZ LE ROI PÊCHEUR

Perceval avait cheminé tout le jour sans rencontrer âme qui vive pour lui indiquer sa route et la nuit allait bientôt tomber. À la descente d'une colline, il arriva à une rivière. L'eau semblait profonde et rapide et il n'osait s'y engager. À ce moment, il vit une barque qui descendait le courant. Deux hommes y étaient assis. Ils s'arrêtèrent soudain au milieu de la rivière et ancrèrent solidement la barque. Celui qui était à l'avant pêchait à la ligne et amorçait son hameçon d'un petit poisson.

Perceval, depuis la rive, les salua et demanda :

– Y a-t-il un gué[1] ou un pont sur cette rivière ?

– Non, répond le pêcheur, autant que je sache, à vingt lieues[2] en amont ou en aval[3], il n'en existe pas, ni de barque assez forte pour passer un cheval !

Dites-moi où je pourrai trouver un logis.

– Au nom de Dieu, dit Perceval bien ennuyé, dites-moi, je vous prie, où je pourrai trouver un logis pour la nuit.

– C'est moi, dit le pêcheur, qui vous hébergerai ce soir. Montez par cette brèche[4] et, quand vous serez en haut, vous verrez devant vous, dans un vallon, la maison où j'habite, près de la rivière et des bois.

---

1. Gué, *n. m.* : endroit d'une rivière où le niveau de l'eau est assez bas pour qu'on puisse la traverser à pied.

2. Lieue, *n. f.* : mesure de distance (environ 4 km).

3. En amont, en aval : au-dessus et en dessous du point considéré.

4. Brèche, *n. f.* : ouverture faite à un mur, ou à une colline comme ici.

Perceval lui obéit mais, arrivé en haut de la butte, il ne vit rien que le ciel et la terre. Furieux, il se mit à maudire le pêcheur déloyal qui lui avait conté des sornettes !

Et soudain tout lui apparut : le vallon et la cime d'une tour carrée flanquée de deux tourelles avec un logis par-devant. Perceval, tout content, y courut, ne traitant plus le pêcheur de tricheur, de déloyal et de menteur !

À peine s'était-il engagé sur le pont-levis que quatre valets vinrent vers lui. Deux lui enlevèrent son armure, le troisième emmena son cheval pour lui donner fourrage et avoine. Le quatrième lui mit sur les épaules un manteau d'écarlate tout neuf et le guida jusqu'à une grande salle où flambait un feu de bûches sèches qui jetait une flamme claire. Un homme aux cheveux presque blancs était assis sur un lit. C'était visiblement le seigneur du lieu, le pêcheur de la barque.

– Ami, dit-il à Perceval qui le saluait, ne m'en veuillez pas. Je ne puis me lever pour vous accueillir, car mes mouvements ne sont pas aisés. Approchez-vous sans crainte, asseyez-vous près de moi et dites-moi d'où vous venez.

La conversation s'engagea.

Tandis qu'ils parlaient, un valet entra, portant une épée qu'il tendit au vieil homme.

– Votre nièce, la blonde et belle, vous envoie ce présent. Celui qui forgea cette épée n'en fit que trois et n'en forgera plus d'autres, car il est mort. Elle vous prie de la donner à celui qui vous paraîtra le plus digne de la porter.

Sur-le-champ, le vieil homme remit l'épée à Perceval.

– Je désire que vous l'ayez, ami. Prenez-la.

Perceval remercia et prit l'épée. Elle était légère pour sa taille, faite d'un acier dur, avec un pommeau en or et un fourreau d'orfroi[1] de Venise. Une arme superbe.

---

1. Orfroi, *n. m. :* broderie d'or.

Soudain, à la clarté des flambeaux qui illuminaient la salle, Perceval vit un jeune homme sortir de la chambre voisine. Il tenait une lance éclatante de blancheur. Une goutte de sang perlait à sa pointe et coulait jusqu'à la main du jeune homme.

Il traversa la salle, passant devant Perceval et son hôte, et disparut.

Perceval dut se retenir pour ne pas poser de question tant ce spectacle était étrange. Mais il se souvenait du conseil de Gornemant de Goort : qui ne sait tenir sa langue manque souvent aux lois de courtoisie. Il resta donc muet.

Peu après, de la même chambre voisine, sortirent deux beaux hommes portant chacun un chandelier d'or où brûlaient dix cierges. Derrière eux marchait lentement une très belle jeune fille, richement vêtue. Elle tenait entre ses mains une coupe en or garnie de pierres précieuses, qui rayonnait comme un soleil.

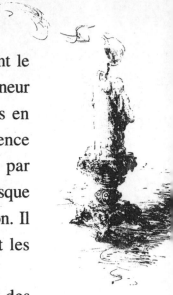

L'étrange cortège passa lui aussi devant le lit où se tenaient assis Perceval et le seigneur du lieu, puis disparut. Perceval, de plus en plus étonné, dut cette fois se faire violence pour ne rien demander. Mais, toujours par peur d'être impoli, il garda le silence, puisque son hôte ne lui donnait aucune explication. Il pensa que le lendemain, il interrogerait les habitants du château.

Le repas, servi bientôt, se composa des mets les plus rares et des vins les meilleurs. Pour la veillée, on apporta une profusion de dattes, de figues et de noix muscade, de grenades au girofle, de pâte au gingembre d'Alexandrie, accompagnées de nouveaux vins au piment, sans miel ni poivre.

Perceval était émerveillé. Il n'était pas habitué à pareil régime !

Après avoir longuement conversé, le vieil homme dit :

– Ami, il est l'heure du coucher. Vous dormirez ici quand il vous conviendra. Pour moi,

je regagne ma chambre. Mais il faut qu'on me porte. Je ne peux me mouvoir seul.

Quatre hommes robustes prirent aux quatre coins la courtepointe[1] sur laquelle il était assis et l'emmenèrent. Perceval resta seul avec deux valets qui le dévêtirent et le mirent au lit. Il dormit jusqu'à l'aube.

Mais, quand il ouvrit les yeux, il ne vit personne près de lui, s'équipa seul, prit ses armes, frappa en vain à diverses portes, toutes fermées. Il appela. Pas de réponse. Il sortit de la salle, chercha son cheval, le vit tout sellé – ni palefrenier, ni valet. Tout le château semblait étrangement vide d'habitants. Le pont-levis était baissé. Perceval monta à cheval, prit son écu et sa lance et partit, se demandant où tous les gens qu'il avait vus la veille avaient bien pu passer !

Il remarqua sur un sentier des traces

_____

1. Courtepointe, *n. f. :* couverture de lit, rembourrée et piquée.

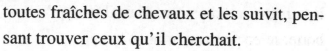

toutes fraîches de chevaux et les suivit, pensant trouver ceux qu'il cherchait.

Il s'engagea dans la forêt, toujours suivant les traces. Soudain, il vit sous un chêne une fille qui pleurait. Elle leva les yeux, l'aperçut et s'étonna :

– Vous semblez avoir passé une bonne nuit, votre cheval est lavé et étrillé[1]. Pourtant, à vingt-cinq lieues à la ronde il n'y a pas une maison.

– Vous vous trompez, belle. Il en est une tout près d'ici et excellente !

Il se mit à raconter. La fille l'interrompit aux premiers mots :

– C'est donc que vous avez été l'hôte du riche Roi Pêcheur, qui fut blessé dans une bataille et perdit l'usage de ses jambes. Il ne peut plus, pour se distraire, que se faire porter dans une barque et s'en aller pêcher sur

---

1. Étriller, *v. tr. :* nettoyer la peau des chevaux avec une brosse métallique.

l'eau. De là son nom. Il vous a fait grand honneur en vous recevant.

Elle regarda Perceval.

– Dites-moi, avez-vous vu la lance dont la pointe saigne ?

– Certes oui, je l'ai vue.

– Avez-vous demandé pourquoi elle saignait ?

– Je m'en suis gardé !

– Dieu ! Vous avez mal fait ! Et la coupe nommée Graal, l'avez-vous vue ? Portée par une jeune fille qui suivait deux valets tenant un chandelier plein de cierges ?

– J'ai vu tout cela.

– Avez-vous demandé qui ils étaient, où ils allaient ?

– Pas un mot n'est sorti de ma bouche.

– Ah, Dieu ! Comment vous nommez-vous, ami ?

– Perceval le Gallois.

– Mieux vaudrait dire à présent Perceval l'Infortuné. C'est sur vous que je pleure. Que n'avez-vous posé ces questions ! Le roi eût retrouvé l'usage de ses jambes et vous seriez entré en possession du Graal. Je n'en peux dire plus. Ni sur la lance, ni sur la coupe. Un autre vous l'enseignera. Adieu !

Elle se remit à pleurer sous le chêne et Perceval poursuivit sa route vers la cour du roi Arthur.

v

PERCEVAL ET L'ORGUEILLEUX DE LA LANDE

SUR le sentier que suivait Perceval, marchait, un peu devant lui, un cheval si maigre qu'il n'avait que le cuir sur les os. Ses crins étaient tondus, ses oreilles pendaient. Il paraissait ne plus pouvoir aller très loin.

Pourtant il portait une fille.

Échevelée[1], sans manteau ni voile, la peau brûlée par le soleil et la neige, elle était

---

1. Échevelé, *adj.* : les cheveux en désordre, dépeigné.

vêtue d'une robe rapetassée[1] en six endroits,
trouée à d'autres ! Malgré cela, il lui restait
encore des traces d'une grande beauté.

Perceval courut vers elle.

– Belle, Dieu vous protège ! Comment
êtes-vous en ce triste état ?

Elle baissa la tête, et dit tout bas :

– Fuyez et laissez-moi en paix ! Fuyez,
vous dis-je !

– Moi, fuir ? Pourquoi ? Qui me menace ?

– L'Orgueilleux de la Lande. S'il vous
trouve ici, il vous tuera pour m'avoir adressé
la parole !

Elle n'avait pas achevé sa phrase que
l'Orgueilleux, sortant du bois et soulevant
un nuage de poussière et de sable, arrivait
sur eux et criait :

*Malheur
à toi !*

– Malheur à toi qui t'es arrêté près de cette
fille ! Tu vas mourir ! Mais avant de te tuer, je
veux t'expliquer pourquoi je la traite ainsi et

1. Rapetasser, *v. tr.* : raccommoder un vêtement.

lui inflige cette vie. Je l'aimais plus que tout
en ce monde. Or, un jour que j'étais parti chas-
ser et qu'elle était seule dans un pavillon, un
jeune garçon gallois passa. Il lui prit un baiser
– elle l'avoua, disant que c'était de force et
qu'il n'avait rien fait de plus. Qui le croira ?
Pas moi ! Elle n'aura ni robe neuve, ni bon
cheval, ni toit et se nourrira de ce qui pousse
dans les bois, jusqu'à ce que je retrouve ce
garçon, l'oblige à avouer et le tue.

Perceval avait écouté avec beaucoup
d'attention. Il se souvint brusquement de ce
pavillon où il avait en effet un jour embrassé
une fille, par surprise. Elle s'en était montrée
très irritée. La misère et la faim l'avaient tant
changée qu'il ne l'avait pas reconnue.

De son côté, comment aurait-elle imaginé,
sous l'armure vermeille de ce beau chevalier,
le jeune garçon gallois en cotte de cuir de cerf
et chemise de chanvre de ce jour-là ?

– Ami, dit Perceval. Elle vous a dit vrai.
C'est moi qui lui pris ce baiser. Par surprise.

C'est tout ce que je fis. Croyez-m'en. Levez la pénitence[1]. Elle a payé assez cher.

– Ainsi tu avoues !. cria l'Orgueilleux, fou de colère. Tu mérites la mort !

– La mort n'est pas si près de moi que tu le penses ! répliqua Perceval, que la colère gagnait aussi.

Leurs lances volèrent en éclats.

Et aussitôt, ils se heurtèrent avec une telle violence que leurs lances volèrent en éclats et que tous deux tombèrent de cheval. Mais ils se relevèrent et, tirant leurs épées, se portèrent des coups furieux. À la fin, l'Orgueilleux de la Lande eut le dessous et demanda grâce.

– Fais d'abord grâce à ton amie, ordonna Perceval. Elle n'a pas mérité d'être traitée comme tu le fais. Je peux te le jurer !

L'Orgueilleux de la Lande, qui aimait la jeune fille plus que la prunelle de ses yeux, dit :

---

1. Pénitence, *n. f. :* punition, châtiment.

– J'ai souffert autant qu'elle de ce qu'elle endurait et je suis prêt à réparer !

– Fais-la baigner et reposer jusqu'à ce qu'elle soit de nouveau en pleine santé. Puis, bien parée et bien vêtue, mène-la au roi Arthur. Salue-le de ma part et mets-toi à son service.

Le même soir, le chevalier fit baigner son amie et, dans les jours qui suivirent, l'entoura de tant de soins qu'elle recouvra toute sa beauté. Ils partirent alors tous deux à Carlion, où le roi Arthur tenait sa cour.

Il y avait fête ce jour-là, et la reine Guenièvre se trouvait aux côtés du roi. L'Orgueilleux de la Lande la salua et conta son histoire. Tous écoutaient avec grande attention. Gauvain, le neveu du roi, assis à sa droite, s'écria :

– Qui est ce jeune homme qui a vaincu aux armes un chevalier tel que l'Orgueilleux de la Lande ? Dans toutes les îles de la mer aucun ne peut se comparer à lui !

– Beau neveu, répondit le roi, vous êtes depuis peu à ma cour. Vous ne connaissez pas l'histoire de ce jeune garçon gallois qui tua d'un coup de javelot le chevalier Vermeil de la forêt de Quinqueroi... J'ignore tout de lui, jusqu'à son nom. Mais je n'attendrai pas plus longtemps pour partir à sa recherche et je ne reposerai pas deux nuits de suite au même endroit tant que je ne l'aurai pas vu, s'il est vivant, en mer ou sur terre !

Dès que le roi eut parlé, chacun, à sa cour, sut qu'il n'y avait plus qu'à se mettre en route !

RETOUR AUPRÈS
D'ARTHUR

On rassembla fiévreusement provisions et bagages, tentes et pavillons, couvertures et oreillers, et le roi Arthur quitta Carlion, suivi de ses barons et de la reine, elle-même entourée de ses demoiselles.

Le soir venu, on logea dans une prairie à la lisière d'un bois. Le lendemain matin, la neige recouvrait le sol. Perceval, levé de bonne heure à son habitude, avait repris la route. Le hasard le mena droit à la prairie enneigée où le roi campait avec sa cour.

Il était encore assez loin des tentes lorsqu'il aperçut un vol d'oies sauvages. Elles fuyaient devant un faucon qui fendait l'air pour les attaquer. L'une d'elles s'égara. Le faucon l'abattit à terre et repartit.

Perceval accourut. L'oie était blessée au cou. Elle saignait. Trois gouttes de sang rougissaient le blanc de la neige. À l'arrivée de Perceval, elle s'envola. Lui, appuyé sur sa lance, regardait le sang et la neige : il revoyait le visage de Blanchefleur, le rouge des lèvres et la blancheur du teint. Il en oubliait où il était, rêvait à celle qu'il aimait, et les heures s'écoulaient. Le jour venait tout à fait. Les écuyers sortant des tentes virent Perceval, perdu dans sa rêverie. Ils crurent qu'il sommeillait.

Le roi Arthur dormait encore. Sagremor, un des chevaliers de sa suite, le réveilla :

– Sire, dehors sur la lande, il y a un chevalier qui sommeille sur son cheval.

Le roi ordonna qu'on l'amenât aussitôt.

Sagremor s'arma, prit son cheval et rejoignit Perceval.

– Ami, dit Sagremor, il vous faut venir à la cour.

Perceval, tout à sa rêverie, ne voyait ni n'entendait. Il ne bougea ni ne répondit.

Sagremor renouvela sa demande, en vain. À la troisième fois, il se fâcha, et cria :

– Vous y viendrez, de gré ou de force !

Et, prenant du champ[1], il lança son cheval en direction de Perceval. Brutalement arraché à ses pensées, ce dernier s'élança à son tour. Le choc fut si violent que la lance de Sagremor se brisa et qu'il tomba. Son cheval s'enfuit et regagna le camp sous les yeux des gens qui se levaient et sortaient des tentes.

Keu se moqua de Sagremor plus fort que tout le monde. Si bien que le roi, irrité, lui dit :

– Allez-y donc vous-même ! Nous verrons si vous nous ramenez ce chevalier inconnu !

---

1. Prendre du champ : reculer pour prendre de l'élan.

– Sire, dit Keu, je vous l'amènerai, qu'il le veuille ou non, et il faudra bien qu'il nous dise son nom !

Perceval contemplait toujours les gouttes de sang sur la neige, pensant à Blanchefleur et oubliant le reste !

Keu, armé et à cheval, lui cria de loin :

– Vassal[1], venez au roi ! Ou vous le paierez cher !

Perceval, s'entendant menacer, courut vers Keu en éperonnant sa monture. Keu frappa si violemment que sa lance vola en miettes, comme de l'écorce. Mais Perceval, le frappant sur le haut de son bouclier, le désarçonna. Keu tomba sur une roche, se déboîta la clavicule et se brisa l'os droit, comme du bois sec !

Il s'évanouit de douleur et son cheval revint au grand trot vers les tentes. En le voyant sans son maître, tous s'inquiétèrent.

---

1. Vassal, *n. m.* : homme lié à un seigneur qui lui donnait la possession d'un fief (domaine, terres).

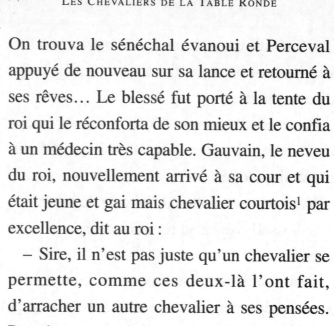

On trouva le sénéchal évanoui et Perceval appuyé de nouveau sur sa lance et retourné à ses rêves... Le blessé fut porté à la tente du roi qui le réconforta de son mieux et le confia à un médecin très capable. Gauvain, le neveu du roi, nouvellement arrivé à sa cour et qui était jeune et gai mais chevalier courtois[1] par excellence, dit au roi :

– Sire, il n'est pas juste qu'un chevalier se permette, comme ces deux-là l'ont fait, d'arracher un autre chevalier à ses pensées. Peut-être songeait-il à son amie et souffrait-il ? Si vous le permettez, j'irai, à mon tour, le trouver et tâcherai de vous le ramener.

Le roi l'ayant permis, Gauvain s'en alla donc. Le soleil commençait à faire fondre la neige tachée de sang et Perceval émergeait lentement de son rêve de Blanchefleur.

Gauvain s'approcha et dit avec calme :

---

1. Courtois, *adj.* : au Moyen Âge, la littérature courtoise exalte subtilement l'amour. Un chevalier courtois est un chevalier qui agit selon les principes de l'amour raffiné et idéal.

– Je suis envoyé par le roi qui vous prie de venir lui parler.

– Il en est déjà venu deux, répondit Perceval. Je ne les ai pas suivis car j'avais devant moi le visage de mon amie, la belle que je ne voulais pas quitter. Mais, dites-moi, c'est donc la cour du roi Arthur qui est là ? Et Keu le sénéchal ?

– Oui. Et vous venez de lutter avec lui. Vous lui avez brisé le bras droit et déboîté la clavicule !

– Voilà donc vengée la fille qu'il avait frappée !

Gauvain tressaillit de surprise.

– Ah, dit-il, c'est vous que le roi cherche entre tous ! Quel est votre nom ?

– Perceval. Et le vôtre ?

– Gauvain.

Perceval, tout joyeux, s'écria :

– J'ai entendu parler de vous et je suis prêt à vous suivre. Je serais fier que vous soyez mon ami !

– J'en aurais plus de plaisir encore que
vous !

Et les voilà dans les bras l'un de l'autre !

Du camp, on avait suivi leurs mouvements et vu leur gaieté. Les chevaliers en
portèrent la nouvelle au roi :

– Voici votre neveu Gauvain qui revient,
le chevalier avec lui. Tous deux ont l'air de
marcher dans l'allégresse !

Et chacun de bondir hors de sa tente pour
aller au-devant d'eux.

Le roi lui-même se leva afin de les
accueillir.

– Grand merci, beau neveu. Et vous, ami,
soyez le bienvenu. Comment dois-je vous
nommer ?

– Sire roi, dit Perceval en s'inclinant, j'ai
pour nom Perceval le Gallois.

– Ah, Perceval, comme j'ai regretté, quand
je vous vis pour la première fois, de ne vous
avoir pas retenu à ma cour. Mais j'ai su vos
exploits et entendu la prédiction : la fille et le

*J'ai
pour nom
Perceval
le
Gallois.*

Il devint chevalier de la Table Ronde.

fou ne se sont pas trompés : vous avez vérifié leurs prophéties. Et, s'il ne tient qu'à moi, vous ne partirez plus !

Perceval exauça quelque temps le désir du roi Arthur. Il devint chevalier de la Table Ronde, comme son ami Gauvain.

Mais le regret le tenaillait. Il connaissait à présent l'histoire de la lance mystérieuse et de la goutte de sang perlant à sa pointe : c'était celle qui avait percé le côté du Christ sur la croix. Quant au Graal, la coupe sainte qui avait recueilli le sang du Christ, il voulait, plus que tout au monde, la conquérir.

Pour cela, il fallait retrouver la demeure du Roi Pêcheur et poser, cette fois, des questions.

Dès qu'il le put, il repartit. Mais le château où il avait couché un soir était né d'un enchantement[1]. Il avait disparu de même.

Perceval s'obstina dans sa recherche vaine.

---

1. Enchantement, *n. m.* : opération magique, sortilège.

Il erra, défendant les dames, déjouant les sortilèges, les gués périlleux et les oiseaux-fées.

Il revenait parfois pour participer à des tournois ou guerroyer aux côtés du roi Arthur. Puis il reprenait sa quête, sans jamais trouver.

Ce fut au cours d'une de ses absences que se présenta à la cour un jeune garçon nommé Lancelot du Lac. Ses aventures allaient égaler celles de Perceval et, à son tour, il entrerait dans la légende des chevaliers de la Table Ronde.

Lancelot
du Lac

I

ARRIVÉE DE LANCELOT
À LA COUR
DU ROI ARTHUR

Un jour que le roi Arthur chassait dans la forêt avec son neveu Gauvain, Keu le sénéchal et plusieurs autres chevaliers, ils virent s'avancer vers eux un étrange cortège.

Les montures des cavaliers qui le composaient, leurs armures, leurs vêtements, tout était d'un blanc brillant de neige. Ils escortaient un jeune homme et une dame[1], égale-

---

1. Dame, *n. f.* : nom donné à toute femme détenant un droit de souveraineté. Femme de haute et bonne naissance.

ment vêtus de blanc, et tous deux d'une grande beauté.

La dame, en voyant le roi, s'avança vers lui et le salua. Le roi répondit courtoisement à son salut et lui demanda qui elle était.

Elle dit avec un sourire mystérieux :

– On me nomme la Dame du Lac. Vous m'avez connue sous un autre nom, mais là n'est pas la question. Je vous amène ce jeune homme pour que vous le fassiez chevalier quand il le demandera. Il a déjà ses armes.

Le roi était à la fois étonné de la demande et curieux de savoir qui pouvait être la Dame du Lac.

Toutefois il accepta. La dame, sans plus rien ajouter, fit de brefs adieux au jeune homme et s'en alla, escortée de ses cavaliers.

Le roi confia le nouveau venu à son neveu Gauvain qui, après la chasse, l'emmena chez lui et tenta d'en savoir plus, en vain. Le jeune homme ne répondit à aucune question. Mais après le repas, qu'ils avaient pris ensemble, il

demanda tranquillement à être armé chevalier le lendemain – car c'était la fête de la
Saint-Jean, et le roi Arthur devait, ce jour-là,
adouber plusieurs chevaliers.

Gauvain se récria. La préparation, d'ordi-
naire, était longue. Elle pouvait durer jusqu'à
deux années, et lui, en un seul jour... Mais le
garçon se borna à répéter :

– Je n'ai besoin d'aucune préparation. Je
suis prêt.

Et cela avec tant de ténacité qu'à la fin
Gauvain céda. Il le conduisit auprès du roi.
Fidèle à la promesse faite à la Dame du Lac,
Arthur accepta donc, au mépris de toutes les
règles, de faire chevalier, le lendemain, cet
étonnant garçon.

Il passa la nuit, selon l'usage, en prières et
méditations. Le lendemain, dans la plus grande
église de la ville, il vint s'agenouiller près de
l'autel, avec les autres. Et, devant le roi
Arthur, il prêta, à voix haute, serment de
fidélité.

Le roi lui passa une à une les pièces de son armure. Elles étaient d'une grande beauté : blanches et argent.

La dernière partie de la cérémonie – la remise de leur épée aux nouveaux chevaliers – avait lieu dans la grande salle du château. La reine Guenièvre et les dames de la cour étaient curieuses de voir enfin ce mystérieux jeune homme dont tout le monde, depuis la veille, parlait. Qui était-il ? Comment se nommait-il ? D'où venait-il ? Nul ne le savait ! Quand il parut, sous son armure blanche qui rehaussait sa blondeur et sa beauté, tous les regards se fixèrent sur lui avec admiration.

Mais lui ne voyait que la reine Guenièvre : il venait sur-le-champ d'en tomber éperdument amoureux.

À l'instant même, il se jura qu'elle serait sa Dame. Elle seule.

Or, il se fit que, dans le remue-ménage de la cérémonie, le roi omit de remettre son épée au nouveau chevalier. Le jeune homme ne la

La Dame de Nohaut m'envoie vous demander secours.

réclama pas ; il ne quittait pas des yeux la reine. Le banquet commençait quand, soudain, arriva un messager hors d'haleine, couvert de poussière, qui se jeta aux pieds du roi :

– La Dame de Nohaut m'envoie vous demander secours. Elle est en grand danger, sa terre ravagée, son château assiégé. Elle n'a plus qu'un espoir : son ennemi propose un combat singulier entre un de ses hommes et le chevalier qu'elle choisira. De l'issue de l'épreuve dépendra son sort. Elle vous supplie de désigner le meilleur que vous aurez, car le combat sera rude.

Celui que l'on nommait – faute de savoir son nom – le chevalier blanc s'avança vivement et dit au roi :

– J'irai.

– Vous êtes trop jeune, répondit le roi, trop inexpérimenté. Vous vous ferez tuer pour rien.

Mais le chevalier insista tant qu'à la fin, là encore, le roi céda.

Au moment de partir avec le messager, il se rendit auprès de la reine qui se reposait dans son appartement. Il mit un genou à terre et dit :

– Je ne veux pas partir sans vous dire adieu, et sans vous demander d'accepter d'être ma Dame. Le roi Arthur a oublié de me ceindre l'épée. Faites-le vous-même et je jure, moi, Lancelot du Lac, d'être pour toujours à votre service.

La reine, émue, prit l'épée qu'il lui tendait et acheva l'adoubement du chevalier.

Lancelot rejoignit le messager et partit au château de la Dame de Nohaut.

Cependant, la reine Guenièvre pensait :

– Lancelot du Lac... C'est donc là son nom... Un nom étrange... D'où lui vient-il ? Et qui est-il réellement ?

C'était toute une histoire qui avait commencé quinze ans auparavant...

II
L'ENFANCE
DE LANCELOT

Quinze ans auparavant, en Petite-Bretagne, par une sombre nuit, le roi Ban de Bénoïc et sa femme, la reine Hélène, portant le petit Lancelot et accompagnés d'un seul écuyer, fuyaient sur un chemin de terre, à travers les marais. Ils fuyaient leur royaume ravagé par les troupes victorieuses de leur redoutable ennemi, le roi Claudias de la Déserte. Ils venaient de quitter en secret le dernier château qui ne fût pas tombé en son pouvoir.

Ban de Bénoïc partait demander de l'aide

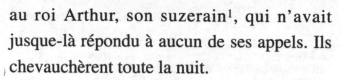

au roi Arthur, son suzerain[1], qui n'avait jusque-là répondu à aucun de ses appels. Ils chevauchèrent toute la nuit.

Tôt le matin, avant l'heure où chantent les coqs, ils se trouvèrent au sein d'une épaisse forêt, devant une clairière où était un lac.

La reine Hélène, épuisée, s'arrêta pour se reposer au bord du lac avec l'enfant Lancelot qui dormait. Tandis que l'écuyer surveillait les chevaux, le roi Ban voulut voir une dernière fois son château.

Il y avait, toute proche, une butte assez élevée. Il la gravit et là, il vit avec effroi et douleur de hautes flammes rosir le ciel : le château, tombé aux mains de Claudias, brûlait. Le roi était âgé et avait subi déjà trop de coups ; ce dernier l'acheva. Il tomba à terre et mourut.

L'écuyer, inquiet de ne pas le voir revenir, gravit à son tour la butte et, découvrant le roi mort, poussa des cris de douleur.

---

1. Suzerain, *n. m.* : dans le système féodal, seigneur qui était au-dessus de tous les autres, dans un territoire donné.

La reine Hélène les entendit et se dressa, pleine d'angoisse. Elle hésitait à laisser le bébé seul, mais il dormait toujours, et le lac avait l'air si tranquille qu'elle posa le petit Lancelot dans l'herbe et courut jusqu'à la butte. Quand elle vit le roi étendu à terre, elle comprit quel malheur la frappait et elle s'évanouit de douleur.

L'écuyer réussit à la ranimer. Elle pleura un grand moment puis, pensant à son fils laissé seul, elle revint en hâte au bord du lac.

Une femme, très belle, vêtue de blanc, emportait l'enfant serré contre son cœur et s'enfonçait avec lui dans l'eau du lac…

La reine, désespérée, faillit perdre la raison et se retira dans un couvent, loin du monde.

Comment se serait-elle doutée que la si belle dame en blanc qui venait de lui prendre son fils n'était autre que la fée Viviane, jadis tant aimée de Merlin ? Il avait disparu, mais elle continuait à vivre, toujours jeune et belle – parce que fée ! –, dans ce royaume enchanté

La Dame du Lac l'aimait...

des eaux qu'était le lac. Lancelot passa près d'elle une enfance heureuse, ignorant qui il était et le drame qu'avait vécu sa mère.

La Dame du Lac – comme elle se faisait appeler – l'aimait et veillait à ce qu'il reçût l'éducation que méritait un fils de roi. Il apprit même à lire – ce qui était rare en ces temps-là !

Lancelot devenait un bel adolescent, séduisant de visage, souple de corps, et qui excellait à tous les jeux. Robuste et plein de grâce à la fois, il maniait déjà la lance et l'épée comme un vrai chevalier. Il aimait la chasse et la danse et, chaque soir, la Dame du Lac lui apportait des roses frais cueillies et tressées en couronne – rouges le plus souvent, couleur de l'amour.

Mais vint un jour où, malgré les compagnons qu'elle lui avait donnés, malgré les joutes[1] et les chasses, Lancelot s'ennuya. Il

---

1. Joute, *n. f.* : combat singulier à la lance et à cheval.

voulait aller à la cour du roi Arthur et y devenir chevalier. Il venait d'avoir dix-huit ans.

La Dame du Lac en fut triste, mais elle le cacha. Elle fit préparer le heaume d'argent, le haubert blanc comme neige, l'épée, l'écu... bref, tout l'équipement d'un futur chevalier. Puis elle dit à Lancelot :

– Vous allez quitter le lieu de votre enfance et vous ne pourrez plus jamais y revenir. Je vous ai élevé, mais je ne suis pas votre mère. Un jour, vous apprendrez le nom de vos parents et vous en serez fier, car vous êtes fils de roi. Vous allez vivre de longues et parfois douloureuses aventures, mais je serai toujours près de vous, sans que vous vous en doutiez, et je vous aiderai dans votre recherche.

Ces mots mystérieux étonnèrent un peu Lancelot, mais il était tout à la joie de partir près du roi Arthur. La Dame du Lac fit seller des chevaux blancs et se vêtit elle-même d'hermine. Puis, escortés de cavaliers, Lancelot et elle quittèrent le royaume du Lac

pour rencontrer le roi Arthur qui était ce jour-
là à la chasse…

Et si elle ne révéla pas alors au roi son vrai
nom de Viviane – sous lequel il l'avait
connue –, ce fut par un reste de malice : car
elle avait été autrefois très jalouse de l'amitié
que Merlin portait à Arthur…

III

LANCELOT À LA DOULOUREUSE GARDE

ARRIVÉ au château de la Dame de Nohaut, Lancelot triompha du chevalier ennemi, au prix d'une légère blessure qui le retint quelques jours en ce lieu.

Or, tandis qu'il était à se reposer, la Dame du Lac lui fit envoyer, par une des jeunes filles de sa suite nommée Saraide, trois écus blancs.

Ils étaient du même blanc brillant que le reste de l'équipement de Lancelot et tous trois avaient même taille et même forme. Seul les différenciait le nombre de bandes vermeilles qui les coupaient : le premier n'en comportait qu'une, le deuxième en comptait deux et le dernier, trois.

– Celui qui ne porte qu'une bande, expliqua Saraide, vous donnera, en plus de votre force, celle d'un autre chevalier. Celui qui a deux bandes vous apportera la force de deux chevaliers, et celui qui en a trois, celle de trois chevaliers. La Dame du Lac vous demande de vous en servir sans hésiter, au cas où cela deviendrait nécessaire. Or, avant de revenir à la cour du roi Arthur, vous allez connaître bien des aventures ; elles vous permettront de prouver votre valeur.

Lancelot prit les écus et remercia Saraide qu'il avait eu grand plaisir à revoir. Elle lui donna quantité de nouvelles de la Dame du Lac et des gens de sa cour.

Dès le lendemain, malgré les prières de la Dame de Nohaut – qui l'aurait volontiers gardé près d'elle plus longtemps –, Lancelot quitta le château.

Il n'aimait que la reine Guenièvre et c'est
à elle seule qu'il voulait montrer de quels
exploits il était capable.

Cheminant à travers la forêt, Lancelot arriva
un matin aux abords d'une ville que dominait
un château imposant. La ville semblait riche
et pourtant, il pesait sur elle un étrange silence. Les rues étaient quasi désertes, et les rares
habitants qu'il croisa semblaient tristes et
abattus. Il arrêta une fille qui portait une
cruche d'eau et la questionna.

– Il faut, répondit-elle, que vous soyez
bien étranger au pays pour ignorer les maléfices que Brandis le Félon fait peser sur nous.
Le château que vous voyez lui appartient. On
le nomme "La Douloureuse Garde" car, entre
ses murs, sont prisonniers quantité de nobles
chevaliers qui ont tenté de nous libérer de lui.
Aucun n'a pu y parvenir, tant le château est
défendu ! Aucun n'a pu même franchir la
première porte ! Hélas ! Qui nous libérera ?

– Moi !

*Hélas !
Qui nous
libérera ?*

La fille le regarda tristement :

– Vous êtes trop jeune pour périr ! Allez-vous-en d'ici !

Mais Lancelot s'avançait déjà vers la première porte. Le pont-levis s'abaissa soudain et dix chevaliers armés s'élancèrent à la rencontre de Lancelot.

Le combat fut rude et dura presque tout le jour. Lancelot dut utiliser le premier des trois écus pour venir à bout des dix chevaliers, mais il y parvint.

Quand la nuit tomba, la première porte était forcée. Les habitants de la ville avaient suivi le combat avec angoisse. Ils emmenèrent Lancelot se reposer. Un peu d'espoir leur venait...

Le lendemain, dès l'aube, Lancelot s'avança vers la seconde enceinte. Par la porte soudain ouverte, dix chevaliers, de nouveau, s'élancèrent vers lui.

Mais il les frappa si rudement qu'ils refluèrent en désordre vers l'intérieur du château, en se bousculant pour repasser la porte.

Vous êtes trop jeune pour périr !

Or, Brandis avait fait placer, au-dessus de cette porte, une grande statue de chevalier en bronze – symbole de sa puissance.

D'un coup de sa lance, Lancelot la fit basculer et tomber à terre. Dans sa chute, elle tua un chevalier. Les autres se virent perdus et s'enfuirent, épouvantés.

Mais hélas, à la faveur du tumulte, Brandis le Félon parvint lui aussi à s'enfuir. Les habitants s'en désolèrent car, de ce fait, la malédiction qui les frappait demeurait ! À moins que... le chevalier vainqueur n'accepte de rester pendant quarante jours dans la ville, sans en sortir.

C'était beaucoup demander – ils le savaient – à un homme toujours en quête d'exploits et d'aventures que de demeurer ainsi les pieds aux chenets[1] !

Ils s'interrogeaient sur la meilleure façon

---

1. Chenets, *n. m.* : pièces métalliques placées dans une cheminée pour soutenir les bûches. L'expression signifie ici : rester au coin du feu.

de le retenir. Or, il y avait près du château un curieux cimetière. Chaque créneau du mur qui l'entourait était surmonté d'un heaume de chevalier.

Intrigué, Lancelot s'y rendit et il vit que sous chacun des heaumes se trouvait une tombe portant l'inscription : « Ci-gît un tel et voici sa tête. »

Mais il y avait, à côté, d'autres tombes, bien plus étranges. Aucun heaume ne les surmontait et elles portaient les noms gravés de chevaliers encore vivants.

Lancelot en avait vu plusieurs à la cour du roi Arthur. L'inscription était rédigée au futur : « Ici reposera un tel. »

Lancelot resta un moment à les regarder. Puis il avança vers le centre du cimetière. Une grande dalle de métal, ornée d'or et de pierreries, était posée là. Elle portait ces mots : « Seul celui qui aura délivré la Douloureuse Garde pourra me soulever. Il saura alors de qui il est le fils. »

Une voix de femme s'éleva soudain derrière Lancelot :

– Brandis le Félon a tenté bien des fois de soulever cette dalle. Jamais il n'y parvint !

Lancelot se retourna vivement. Que faisait là Saraide ? La suivante de la Dame du Lac qui lui avait remis les trois écus n'était donc pas repartie ? Elle sourit de son étonnement :

– Pas un instant je ne vous ai quitté. Mais vous ne le saviez pas ! J'en avais reçu l'ordre de la Dame du Lac. Levez cette dalle. N'êtes-vous pas vainqueur ?

Lancelot se baissa, empoigna la dalle par un des bords où elle s'amincissait et, sans effort, la souleva.

Il vit alors ces mots : « Ici reposera Lancelot, fils du roi Ban de Bénoïc. »

… Fils de roi… La Dame du Lac le lui avait dit, jadis. Mais à présent, il savait de quel roi… Un roi mort, un royaume perdu…

Il laissa retomber la dalle. Saraide dit alors doucement :

– La Dame du Lac m'a chargée de vous raconter comment le roi Ban votre père perdit son royaume et en mourut…

Elle lui expliqua toute l'histoire, qui rendit Lancelot encore plus songeur. Pourquoi le roi Arthur, en bon suzerain, n'était-il pas venu au secours de son père ?

Il ignorait que le roi avait oublié cette faute ancienne que, bientôt, un ermite[1] lui rappellerait.

Lancelot prit l'habitude de venir réfléchir souvent dans cet étrange cimetière où les tombes des morts côtoyaient celles des vivants.

Pendant ce temps, la nouvelle de la délivrance de la Douloureuse Garde était parvenue jusqu'à la cour du roi. Et tous de s'écrier :

– Qui a accompli pareil exploit ?

Un roi mort, un royaume perdu...

---

1. Ermite, *n. m.* : religieux retiré dans un lieu désert.

– Un chevalier inconnu, fut la seule réponse que put donner le messager.

Le roi Arthur, curieux d'en savoir plus, envoya sur les lieux son neveu Gauvain et quelques chevaliers.

Ils chevauchaient sans méfiance quand Brandis le Félon, qui les guettait, leur tomba dessus par surprise et les fit tous prisonniers.

Le roi Arthur entra dans une grande colère et décida de se rendre lui-même au château de la Douloureuse Garde. La reine Guenièvre et toute la cour l'accompagnaient. Lorsqu'ils arrivèrent devant le château, Lancelot était dans le cimetière. Il songeait et ne les aperçut pas. Les gardes du château, n'ayant pas reçu d'ordres, refusèrent de laisser entrer le roi et son escorte. Ils durent rebrousser chemin.

En l'apprenant, Lancelot fut désespéré. Par sa faute, la reine Guenièvre – qu'il aimait si follement – s'était vu repousser du château qu'il venait de conquérir ! Comment se le faire pardonner, lorsqu'elle l'apprendrait ?

Il fit aussitôt seller son cheval et, malgré les supplications des habitants, partit à bride abattue[1] dans la forêt pour tenter de rattraper le roi et sa suite.

Mais quelle direction prendre ?

Un ermite sortait juste de sa cabane. Lancelot l'interrogea et apprit à la fois la captivité de Gauvain et le piège que Brandis s'apprêtait à tendre au roi Arthur.

Le désespoir de Lancelot s'accrut, de savoir la reine Guenièvre en danger, par sa faute.

Il se précipita vers l'endroit de la forêt où Brandis préparait son guet-apens. Dès qu'il l'aperçut, il se jeta sur lui, l'épée haute, réussit à le jeter à terre et allait lui trancher la tête quand Brandis lui rappela qu'il détenait Gauvain en otage. Sa mort entraînerait celle de Gauvain. Si, au contraire, Lancelot lui laissait la vie, il promettait de libérer tous ses prisonniers.

---

1. À bride abattue : rapidement, vite.

Le roi Arthur, qui arrivait avec sa suite, intervint aussi. Lancelot céda et libéra Brandis.

Tous repartirent alors pour la Douloureuse Garde dont, cette fois, les portes s'ouvrirent devant Guenièvre et Arthur. Lancelot n'avait pas pris le temps d'enlever son heaume et personne ne l'avait reconnu.

Personne non plus ne le vit partir, quelques heures plus tard, alors que le festin en l'honneur du roi et de la reine se déroulait dans la grande salle du château.

Et quand le roi Arthur voulut enfin connaître le visage et le nom du chevalier qui avait accompli de tels exploits, on ne put le trouver. Il avait disparu.

Vinrent pour Lancelot des jours de chevauchée solitaire. Il allait, remâchant ses pensées comme autant d'herbes amères et cherchant par quel exploit il pourrait réparer sa faute envers Guenièvre.

Un matin, un chevalier l'aborda :

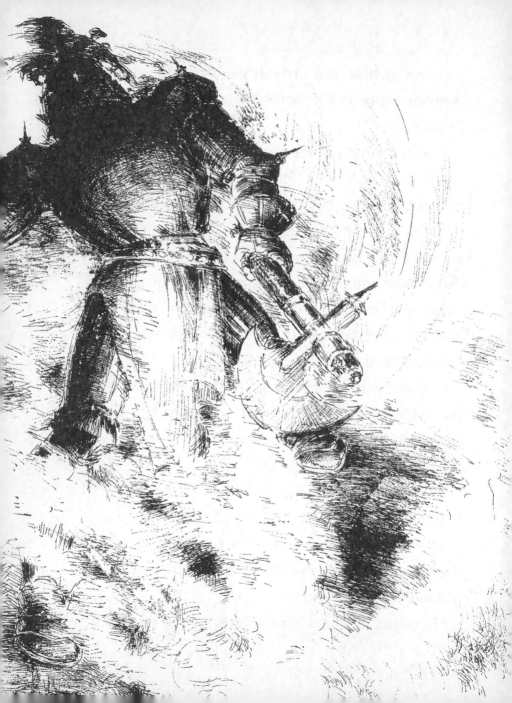

– N'êtes-vous pas celui qui libéra de Brandis la Douloureuse Garde ?

– C'est moi, en effet.

– Alors, suivez-moi vite. Car la reine Guenièvre est retenue, par trahison, prisonnière en ce château. Elle vous fait chercher par tout le royaume, car vous seul pouvez la délivrer !

Lancelot avait enfin le moyen de réparer sa faute. Il suivit le chevalier. Arrivés à la Douloureuse Garde, ils ne virent que gens en pleurs et gémissant sur le brusque départ du chevalier inconnu, qui les laissait victimes des sortilèges de Brandis.

Lancelot, impatient de délivrer la reine, ne prenait pas garde à leurs propos.

Les chevaux mis à l'écurie, Lancelot suivit de nouveau le chevalier jusqu'à une porte en cuivre qui fermait la tour centrale du château. Le chevalier l'ouvrit en disant :

– La reine est là.

Lancelot se précipita. La porte retomba sur

lui, fermée. Il était à son tour prisonnier.
Derrière une fenêtre grillagée de fer, un visage parut et une voix dit :

– Pardonnez notre pauvre ruse, sire chevalier. La reine n'est nullement prisonnière.
Elle est partie d'ici voilà longtemps. Mais
nous voulions vous voir revenir pour que
cessent les enchantements dont nous souf-
frons. Si vous restez ici, quarante jours…

Lancelot, tout joyeux de savoir la reine
hors de danger, s'écria en riant :

– C'est trop long pour moi ! N'existe-t-il
pas un autre moyen ?

– Il y a bien les clefs des enchantements, fit
la voix en hésitant, mais le danger est grand
d'aller les chercher…

– Faites-moi sortir, ordonna Lancelot.
J'irai les prendre.

On le libéra et on le guida jusqu'à l'entrée
d'un souterrain. Il y pénétra l'épée à la main.

Des cris horribles retentirent, coupés de
gémissements à donner le frisson, puis le sol

vacilla, des lueurs l'éblouirent, d'affreuses odeurs l'étouffèrent presque, mais il continua d'avancer.

Soudain, il se trouva face à deux chevaliers de bronze qui, d'un geste mécanique, levaient et abattaient leurs épées, croisant leurs lames comme des fléaux[1] et si serrées qu'une mouche n'aurait pu passer.

Lancelot brandit son épée au-delà des statues et, tenant à deux mains son écu sur sa tête pour la protéger, s'élança. Il reçut une entaille à l'épaule et faillit tomber, mais il réussit à passer en plongeant sous les épées. Les cris augmentaient et l'assourdissaient, les vapeurs asphyxiantes devenaient d'épaisses fumées entourant un puits énorme qui barrait tout le passage. Une autre statue mécanique se tenait derrière, une hache à la main. Un chevalier de taille fantastique ! Comment passer ?

Lancelot brandit son épée...

---

1. Fléau, *n. m. :* instrument à battre les céréales, composé de deux bâtons liés bout à bout par des courroies.

D'un bond, Lancelot sauta la largeur du puits et tomba sur le chevalier qu'il entraîna dans sa chute. Il réussit à le pousser au bord du puits et à l'y jeter.

Lancelot était à bout de souffle et de force lorsque enfin, devant lui, deux portes s'ouvrirent. Une jeune fille voilée lui tendit deux clefs en disant :

– Celle-ci ouvre la colonne de bronze, celle-là le coffre des enchantements.

D'une main qui tremblait un peu, Lancelot ouvrit l'une et l'autre. Du coffre sortirent alors trente esprits diaboliques qui tenaient le château sous leurs enchantements. Ils hurlaient et tourbillonnaient autour de Lancelot, qui tomba évanoui.

Lorsqu'il revint à lui, tout était calme et tranquille. Les statues, le puits, le souterrain, avaient disparu. Et il était étendu dans un verger où chantaient des oiseaux…

À dater de ce jour, la Douloureuse Garde prit le nom de Joyeuse Garde. Mais les habi-

Du coffre sortirent trente esprits diaboliques...

tants, malgré leurs supplications, ne purent garder Lancelot près d'eux. Il était trop impatient de revoir la reine Guenièvre...

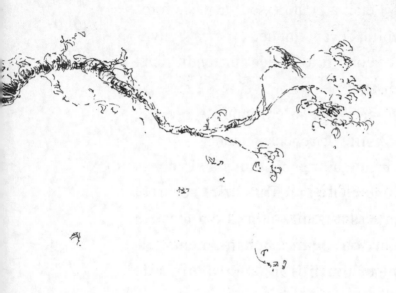

IV

GALEHAUT, SIRE DES ÎLES LOINTAINES

LANCELOT se dirigeait vers la cour du roi Arthur, à petites journées[1], en rêvant à la reine Guenièvre et aux exploits qu'il aimerait accomplir pour lui plaire. Quelle ne fut pas sa surprise d'apprendre que Galehaut, sire des Îles lointaines, avait décidé de s'emparer du royaume d'Arthur ! L'idée folle de posséder trente royaumes lui avait traversé l'esprit. Pourquoi trente ? Nul ne le savait ! Jusque-là,

---

1. Journée, *n. f.* : voyager à petites journées signifie par petites étapes.

Galehaut s'était contenté de son royaume de Sorelois, riche et peuplé.

C'était, au demeurant, un homme courageux et un ennemi loyal. Mais ses troupes étaient nombreuses et le roi Arthur en passe d'être vaincu.

Lancelot arriva juste à temps pour l'ultime bataille. Pour n'être pas reconnu, il revêtit une armure noire – lui jusqu'alors toujours armé de blanc – et il se jeta dans la mêlée. Il combattit avec tant de fureur que les troupes de Galehaut se replièrent.

Il revêtit une armure noire.

Galehaut lui-même voulut connaître ce chevalier noir dont la vaillance lui avait volé la victoire.

Il partit à sa recherche et l'invita sous sa tente si courtoisement que Lancelot ne put refuser. Les deux hommes parlèrent et se prirent d'amitié. Tant et si bien que Lancelot accepta de passer la nuit dans le camp de Galehaut. En l'apprenant, le désarroi fut grand dans l'armée d'Arthur, et la reine Guenièvre se désespéra.

Elle pensait : « Si le chevalier noir nous aban-
donne, demain, Galehaut nous vaincra. » Et
tous pensaient comme elle.

Pendant ce temps, Galehaut, pour mieux
témoigner à Lancelot son admiration et le
désir qu'il avait de devenir son ami, s'écriait
avec enthousiasme – et imprudence :

– J'ai pour vous tant d'admiration que je
suis prêt à vous accorder tout ce que vous
me demanderez ! J'en fais le serment !

– Vous ne devez rien promettre que vous
ne puissiez tenir ! répondit Lancelot, étonné.

– Aussi pouvez-vous me croire. Je suis
connu pour le plus loyal des chevaliers.

Ils dînèrent et se couchèrent. Pendant la
nuit, Galehaut entendit Lancelot gémir et
pleurer car, même dans ses rêves, il pensait à
la reine Guenièvre et à l'amour impossible
qu'il lui portait.

Mais quand, au matin, Galehaut tenta de
le questionner sur les raisons de sa tristesse,
il répondit :

– Ce n'est rien. Un rêve.

Puis il ajouta :

– Vous souvenez-vous de la promesse que vous m'avez faite hier soir ?

– Certes, ami. Demandez ! Si c'est en mon pouvoir, vous aurez !

– Allez au combat mais, lorsque vous serez sur le point de vaincre le roi Arthur, proposez-lui la paix et remettez-vous entre ses mains, renonçant par là même à conquérir son royaume. Pour moi, je ne vous combattrai pas aujourd'hui et resterai à vos côtés.

La demande laissa d'abord Galehaut stupéfait, puis il dit :

– Je vous l'avais promis. J'agirai donc comme vous me le demandez.

Il tint parole. Au moment où les troupes du roi Arthur allaient être définitivement vaincues, on vit le chevalier noir faire un signe. Galehaut s'élança vers le roi qui se tenait tête basse sous le poids de la défaite et le regardait tristement.

Alors, sous le regard incrédule de tous, Galehaut sauta de cheval et ploya le genou devant le roi, prononçant d'une voix forte ces mots incroyables :

– Sire, je viens vous faire droit[1] et, pour réparer le tort que je vous fis en envahissant vos terres, je me mets à votre merci.

Le roi Arthur le releva et lui donna longuement l'accolade, acceptant avec joie l'hommage ainsi offert.

C'était la paix. Tous riaient et applaudissaient.

La reine Guenièvre se demandait qui était ce chevalier noir capable d'un pareil miracle !

Elle interrogea Galehaut mais il garda le silence, prétendant que le mystérieux chevalier avait déjà quitté le camp. La reine ne le crut pas et insista pour le rencontrer. En l'apprenant, Lancelot soupira :

---

1. Faire droit à : rendre justice.

– J'ai fait le serment de ne revenir devant elle que lorsque mes exploits m'en auraient rendu digne !

– Laissez-moi faire, ami, dit Galehaut. Je vous la ferai rencontrer sans que vous rompiez votre serment.

Vers la fin du jour, la reine vint dans une prairie un peu éloignée du camp. Il y coulait une rivière. Sur un des bords se tenait Lancelot. Il n'avait plus son armure et Guenièvre le reconnut. Elle s'avança. Galehaut, qui accompagnait la reine, murmura :

– Le chevalier noir, c'est lui.

Puis il les laissa seuls. Lancelot était si troublé qu'il pouvait à peine parler. Mais, quand la reine demanda :

– Pour plaire à quelle dame avez-vous accompli tant d'exploits ? Révélez-moi son nom. Je suis votre reine.

Il sourit :

– C'est vous-même. N'ai-je pas juré que

vous seriez ma Dame le jour où vous m'avez ceint de l'épée ?

La reine, troublée par l'aveu de cet amour et la beauté de Lancelot, murmura :

– Je suis votre amie et j'en ai grande joie. Je ne veux plus vous voir de larmes.

Elle l'embrassa. Puis, comme la nuit venait, Lancelot repassa la rivière et rentra au camp de Galehaut.

Ils se retrouvèrent plusieurs jours de suite dans la prairie et ils étaient heureux. Mais vint le moment où Galehaut décida de rentrer dans ses terres du Sorelois. La reine lui confia alors Lancelot qui avait décidé d'accompagner son ami. Il était déchiré à l'idée de quitter Guenièvre, mais il savait son amour pour elle impossible. Et le roi Arthur venait de le faire chevalier de la Table Ronde ! De nouvelles aventures l'attendaient.

V

LE VAL SANS RETOUR

LANCELOT, désormais, partagea son temps
entre de longs séjours en Sorelois, auprès de
Galehaut, et de brèves apparitions à la cour
du roi Arthur – le plus souvent pour participer à des tournois où il était toujours vainqueur. Il y gagna la réputation de meilleur
chevalier du monde, même parmi ses pairs[1]
de la Table Ronde, dont les exploits étaient
cependant renommés.

---

1. Pair, *n. m.* : personne de même rang.

Parfois, il se lançait dans des chevauchées solitaires, en quête d'aventures et d'exploits dans des forêts perdues et ensorcelées, de combats de justice ou de libération. Il se montra toujours fidèle à son serment de chevalier qui voulait que si l'un d'entre eux, au cours de ses errances, disparaissait, les autres partent à sa recherche jusqu'à ce qu'ils l'aient retrouvé.

Or, un jour, il apprit que justement Gauvain était prisonnier d'un géant nommé Caradoc dans son château de la Douloureuse Tour. Il décida aussitôt d'aller le délivrer.

Chemin faisant, il croisa une fille en larmes et, s'arrêtant, lui demanda la raison de ses pleurs.

– Hélas, dit-elle, je viens de perdre mon fiancé. Et par ma faute. J'ai voulu l'éprouver[1] et je l'ai fait aller dans ce vallon que vous voyez, là, devant nous. C'est le Val sans Retour de la fée Morgane. Il vient d'y être enfermé

---

1. Éprouver, *v. tr.* : mettre quelqu'un à l'épreuve.

pour toujours et je ne peux vivre sans lui !

– Je ne comprends pas, dit Lancelot. Quelle était l'épreuve ? Et pourquoi le val porte-t-il ce nom ?

– C'est une longue histoire, mais je vais l'abréger. La fée Morgane – la mauvaise ! – aimait un chevalier qui lui fut infidèle. Folle de colère et de jalousie, elle le mena dans ce vallon qu'elle ferma par un enchantement : un mur d'air invisible, transparent et pourtant aussi solide que du fer. Celui qui entre dans le Val sans Retour n'en peut sortir s'il a été une fois, fût-ce en pensée, infidèle à celle qu'il aime. Seul un chevalier n'ayant jamais trompé sa Dame pourrait lever l'enchantement. Mais…, ajouta-t-elle avec tristesse, en existe-t-il un ? La nature des hommes n'est pas d'être fidèle, je le sais bien !

Et elle se remit à pleurer.

Lancelot sourit. Comment aurait-il pu être infidèle à la reine Guenièvre ? Sûr de lui et de son amour, il s'avança vers le val, traversa

le mur enchanté qui, au même instant, disparut, sous l'œil ébahi de la fille.

Tous les prisonniers du Val sans Retour étaient désormais libres.

La fée Morgane en éprouva une grande colère. Elle la cacha sous un sourire menteur et, s'approchant de Lancelot, l'invita à souper chez elle.

Il ne pouvait guère refuser, car la fée Morgane était la demi-sœur du roi Arthur, son suzerain. Il accepta donc au mépris de toute prudence, car on savait Morgane aussi perfide que méchante.

Au cours du repas, elle fit boire à Lancelot un philtre[1] qui l'endormit profondément.

Il se réveilla le lendemain dans une chambre inconnue et ne retrouva plus ni son armure, ni son épée. Adossée à une fenêtre, Morgane l'observait en souriant méchamment :

– Ne cherchez pas vos armes, dit-elle. Je

Elle fit boire à Lancelot un philtre...

---

1. Philtre, *n. m.* : breuvage magique.

les ai prises et je vous retiendrai captif ici tant que vous ne m'aurez pas donné la bague que vous portez au doigt.

C'était une bague à laquelle Lancelot tenait plus qu'à sa vie. La reine Guenièvre la lui avait donnée, dans la prairie, au bord de la rivière, quand il avait osé lui avouer son amour.

Morgane ne l'ignorait pas, mais elle voulait se venger de Lancelot et éprouver sa fidélité.

– En ce cas, répliqua-t-il, il vous faudra prendre mon doigt avec, car jamais librement je ne vous donnerai cette bague.

– Nous verrons bien, dit-elle.

Sur le seuil de la chambre, elle se retourna et ajouta – la rusée :

– Si vous restez enfermé, comment délivrerez-vous votre ami Gauvain, prisonnier dans la Douloureuse Tour du géant Caradoc ? Vous seul le pouvez !

C'était bien là ce qui coûtait le plus à

Lancelot. Mais pouvait-il, pour sauver son ami, trahir la reine ? Il aimait mieux mourir. Dès lors, il refusa de boire et de manger. Il perdait ses forces mais ne cédait pas.

Morgane, dépitée de voir qu'elle ne parvenait pas à vaincre sa volonté, lui proposa un marché : il pouvait aller délivrer Gauvain – elle l'en laissait libre – mais il devrait, aussitôt après, revenir ici et y demeurer prisonnier.

Lancelot accepta et partit pour la Douloureuse Tour. Il eut la joie de battre en combat singulier le géant Caradoc et, ainsi, de libérer son ami Gauvain. Mais il ne put le suivre à la cour du roi Arthur, malgré tout le désir qu'il avait de revoir Guenièvre. Fidèle à sa promesse, il revint tristement chez Morgane se constituer prisonnier.

Enfermé dans cette chambre, les jours lui semblaient interminables. Pour se distraire, il se mit à peindre sur les murs des scènes de sa vie, surtout celles où figurait la reine Guenièvre dont il réussissait à rendre la beauté. Et il restait des heures à la contempler.

Morgane finit par se lasser de son jeu cruel et laissa partir Lancelot, lui imposant pour ultime condition de ne pas revenir avant une année à la cour du roi Arthur. Lancelot recommença donc ses errances. Il se rendit d'abord en Sorelois chez Galehaut. Mais ce dernier, inquiet de la longue absence de Lancelot, était parti, de son côté, à sa recherche. Lorsqu'il revint, gravement blessé, Lancelot était parti à son tour et ne devait plus le revoir vivant. Car peu après, Galehaut mourut des blessures qu'il avait reçues lors de ce dernier combat.

VI

LA TRAHISON
DE MORGANE

Or, pendant que Lancelot était en Sorelois, il se trouva que le roi Arthur, passant un soir près du château de sa demi-sœur Morgane, s'y arrêta pour la nuit. Morgane le reçut avec des transports de joie qui n'étaient pas tous feints, car elle tenait enfin sa vengeance sur Lancelot.

Après un excellent souper, elle conduisit Arthur dans la chambre qu'avait occupée, pendant deux années, Lancelot. Le roi se coucha sans prêter attention aux peintures des murs, peu éclairées par quelques torches.

Mais au matin, lorsqu'il s'éveilla, le soleil frappait juste le visage de la reine Guenièvre et Arthur se frotta les yeux ! Puis il vit les traits de Lancelot. Là, il ne crut plus à un reste de songe de la nuit !

Morgane le guettait. Elle entra, trop heureuse d'expliquer comment Lancelot avait passé des jours à peindre. Puis, baissant les yeux et mimant l'embarras, elle s'étonna que le roi n'ait pas soupçonné ce que tous les gens de sa cour avaient depuis longtemps compris : Lancelot et la reine s'aimaient.

Le roi, furieux, la fit taire, mais il se rappela quelques sous-entendus qui lui avaient fort déplu, chez certains des gens de sa cour. Et il partit le cœur désormais plein de soupçons.

Un de ses neveux, Agravain, frère de Gauvain – qui jalousait Lancelot –, décida de convaincre le roi de façon définitive en tendant un piège à Lancelot dès son retour à la cour. Car l'année d'exil exigée par Morgane touchait à sa fin. À peine revenu, et tout à sa

joie de retrouver la reine Guenièvre, Lancelot oublia la prudence.

Un jour que le roi était à la chasse, il se rendit dans un pavillon isolé où la reine était seule.

À peine était-il entré qu'Agravain surgit, escorté de vingt chevaliers pour témoins.

Lancelot comprit quel piège on venait de lui tendre et, dans sa colère, se rua sur eux l'épée à la main, se fraya un passage et réussit à se réfugier dans la forêt.

Sa fuite semblait un aveu. Quand le roi Arthur revint de la chasse, Agravain renouvela publiquement ses accusations et la reine Guenièvre fut condamnée à être brûlée, en dépit des efforts de Gauvain pour tenter de calmer le roi. Le bûcher était préparé dans un pré un peu en dehors de la ville, près de la forêt.

La reine arriva, en un lent cortège, au milieu des pleurs des petites gens qui l'aimaient. Le roi avait ordonné à Agravain d'exécuter la sentence, puisqu'il était l'accusateur. Deux de ses frères et des sergents l'accompagnaient.

Soudain, comme on approchait du bûcher, Lancelot et quelques chevaliers qui lui étaient fidèles sortirent de la forêt. Ils tuèrent Agravain et ses frères, dispersèrent le reste de l'escorte et enlevèrent la reine.

Lancelot l'emmena dans ce château de la Douloureuse Garde qu'il avait jadis conquis.

À la cour, ce fut la consternation. Gauvain le cria durement au roi :

– Je vous avais prévenu ! Qu'avez-vous gagné ? Mes frères sont morts et la reine est avec Lancelot !

Dès lors, les chevaliers se divisèrent : les fidèles de Lancelot le rejoignirent, les autres vinrent avec Arthur et Gauvain assiéger le château.

La lutte s'éternisait, faisant beaucoup de morts dans les deux camps autrefois amis.

Le pape intervint et envoya l'évêque de Rochester ordonner à la reine Guenièvre de

retourner vivre auprès du roi qui, de son côté, promettait de la traiter avec honneur et d'oublier les accusations.

La reine écouta et demanda à Lancelot son avis.

– S'il ne dépendait que de moi, dit-il avec tristesse, je vous supplierais de rester ici. Mais je préfère votre honneur à tout. Si vous n'acceptiez pas l'offre que le roi vous fait, on vous jugerait coupable. Il vous faut retourner près de lui.

Elle comprit à quel point il l'aimait et elle acquiesça. Lancelot lui rendit alors la bague qu'elle lui avait donnée dans la prairie, au bord de la rivière, pour qu'elle la porte en souvenir de lui.

Il savait que, plus jamais, ils ne se reverraient seuls. Le lendemain, il conduisit lui-même la reine jusqu'à la tente du roi Arthur.

– Sire, dit-il, si j'aimais la reine d'un amour coupable, comme certains vous l'ont fait croire, je ne vous la rendrais pas !

– Je vous en remercie, dit le roi. Et vous l'avez sauvée d'un jugement injuste. Mais en tuant mes neveux, vous m'avez coûté bien cher. Je ne désire plus vous voir à ma cour.

Lancelot demanda alors :

– Si je vous quitte et, traversant la mer, rejoins l'ancien royaume de mon père, me réservez-vous la paix ?

– La guerre, dit Gauvain avec force. Tant que la mort de mes frères ne sera pas vengée !

Le roi garda le silence et Lancelot rentra, triste et pensif, dans son château. Deux jours plus tard, il s'embarqua pour la Petite-Bretagne et le royaume de Bénoïc que l'un de ses cousins avait reconquis sur Claudias de la Déserte. Il savait qu'il ne pourrait oublier ni la reine Guenièvre, ni Arthur, ni aucun de ses compagnons de la Table Ronde. Pour lui, une époque s'achevait.

VII

LA MORT D'ARTHUR
ET DE LANCELOT

UNE autre ère commençait, faite de deuils et de guerres en Petite-Bretagne. Les amis d'autrefois s'affrontaient dans des combats cruels où moururent beaucoup d'entre eux, dont Gauvain. Tous le pleurèrent amèrement.

Le roi Arthur, vieux et découragé, repassa la mer à l'annonce qu'une révolte fomentée[1] par le traître Mordred avait éclaté dans son propre royaume.

---

1. Fomenter, *v. tr.* : préparer, entretenir une révolte ou des troubles.

Ce fut, dans la plaine de Gladstonbury, l'ultime bataille du roi et la fin de son royaume. Ses derniers chevaliers y périrent.

Le roi, vaincu, agonisant de plus de vingt blessures, se traîna jusqu'au bord d'un lac proche que le brouillard enveloppait. Il crut voir une barque d'où une femme descendait : la Dame du Lac. Elle venait vers lui, comme au jour de cette chasse où, tant d'années auparavant, elle lui avait amené Lancelot pour qu'il en fît l'un de ses chevaliers.

Il mourut en lui tendant la main et elle l'entraîna dans la légende...

En apprenant la trahison de Mordred et la mort du roi Arthur, Lancelot décida de le venger.

Quittant la Petite-Bretagne, il repassa la mer une dernière fois, avec ses hommes, livra combat à Mordred, le vainquit et, comme il tentait de s'enfuir, le tua.

Puis il s'en alla et marcha toute la nuit, seul.

Au matin, il se trouva au bord de ce même lac où était mort Arthur. Des moines y avaient élevé une chapelle et un petit ermitage. Lancelot resta avec eux et mourut là. Ainsi s'acheva la vie de Lancelot du Lac.

… Des premiers chevaliers de la Table Ronde, choisis au jour de Pentecôte par le roi Arthur et Merlin l'Enchanteur, tous étaient morts sans parvenir à ramener le mystérieux Graal du château du Roi Pêcheur, symbole de l'impossible quête de l'absolu.

Mais leurs prouesses imaginaires, leurs aventures fantastiques resteraient. Perceval le Gallois et Lancelot du Lac deviendraient les figures légendaires d'un monde médiéval, féodal et chrétien : celui de la chevalerie.

ARTHUR 5

I. LA NAISSANCE D'ARTHUR 7

II. ARTHUR DEVIENT ROI 11

III. LE MARIAGE D'ARTHUR 17

IV. LES CHEVALIERS DE LA TABLE RONDE 23

PERCEVAL LE GALLOIS 29

I. PERCEVAL ET LE CHEVALIER VERMEIL 31

II. PERCEVAL DEVIENT CHEVALIER 43

III. PERCEVAL AU CHÂTEAU DE BLANCHEFLEUR 47

IV. PERCEVAL CHEZ LE ROI PÊCHEUR 59

V. PERCEVAL ET L'ORGUEILLEUX DE LA LANDE 71

VI. RETOUR AUPRÈS D'ARTHUR 77

LANCELOT DU LAC 89

I. ARRIVÉE DE LANCELOT
À LA COUR DU ROI ARTHUR 91

II. L'ENFANCE DE LANCELOT 99

III. LANCELOT À LA DOULOUREUSE GARDE 105

IV. GALEHAUT, SIRE DES ÎLES LOINTAINES 125

V. LE VAL SANS RETOUR 135

VI. LA TRAHISON DE MORGANE 143

VII. LA MORT D'ARTHUR ET DE LANCELOT 151

Jacqueline Mirande

est née dans le Bordelais.
Enfant, elle a beaucoup aimé les histoires
que lui racontait l'une de ses grand-mères.
Elle a eu envie, à son tour, d'en écrire pour les jeunes :
des récits et légendes inspirés du folklore mais aussi
des romans historiques et des romans d'aventures
qu'elle prend grand plaisir à imaginer.

DU MÊME AUTEUR :

Aux éditions Nathan,
dans la collection « Contes et Légendes » :
Contes et Légendes - Le Moyen Âge, 1998.

Chez d'autres éditeurs :
Sans nom ni blason, Pocket Junior, 1997.
Le Cavalier, Pocket Junior, 1999.
Pauline en juillet, Rageot
(Cascade), 1995.
Libraire de nuit, Flammarion
(Castor poche), 1997.
Double meurtre à l'abbaye, Flammarion
(Castor poche), 1998.

Odile Alliet

INFLUENCES

Les vieux livres illustrés, la bande dessinée
et Tolkien, les gravures de Gustave Doré
et Rembrandt, les films de Dreyer et de Bergman.

AMOURS

La Nature, ses mystères et ses merveilles,
que l'on devine et s'invente !
L'Histoire et les civilisations anciennes.
Les rencontres, ces voyages à travers toutes les cultures.
Rêver, dessiner et raconter des histoires.
La tolérance.

PARCOURS

Le dessin depuis toujours, comme joie
et raison de vivre. Après un détour en
« création textile » aux Arts appliqués de Paris,
elle a fait des décors pour la publicité,
le théâtre et le cinéma…
Elle partage aujourd'hui son temps
entre ses passions anciennes
– toujours le dessin, les histoires illustrées –
et les nouvelles : la peinture à l'huile et la gravure.

ENVIES

Continuer à dessiner et à raconter des histoires,
en petit et en grand, sur papier, sur toile, et sur mur
ou en bandes dessinées... et ne jamais s'arrêter !

Nº d'éditeur : 10211921
Dépôt légal : juillet 2010
Imprimé en Janvier 2015 par Graficas Estella (Estella, Espagne)

Les aventures des Chevaliers de la Table Ronde

Origine des légendes

Les aventures des chevaliers de la Table Ronde sont des récits, en vers ou en prose, qui ont été écrits au Moyen Âge par divers auteurs.

On les appelle aussi *Légendes arthuriennes* car il s'agit d'aventures féeriques auxquelles sont mêlés des personnages en partie imaginaires : une poignée de « super-chevaliers » rassemblés autour du roi breton Arthur et de sa Table Ronde.

Comme toutes les légendes, ces récits comportent un fond de vérité. Ainsi, le personnage central — le roi Arthur — est peut-être inspiré d'un chef breton qui lutta au VIe siècle, en Angleterre, contre l'invasion des Saxons.

Les faits racontés remontent donc à des temps anciens. Venus des pays celtiques, soit anglais (pays de Galles,

Cornouailles), soit français (Armorique, Bretagne), ils furent contés d'abord oralement par les harpistes et les jongleurs (musiciens et chanteurs ambulants qui récitaient des vers en s'accompagnant d'un instrument). Plus tard, ils furent mis par écrit par des auteurs qui y projetèrent leur monde, leur société, leurs codes de vie.

Ainsi, vers 1135, l'Anglais Wace dédie ses récits à la reine Aliénor d'Aquitaine qui, séparée du roi de France Louis VII, vient d'épouser le roi d'Angleterre Henri II. Cette reine, elle-même petite-fille du troubadour le duc Guillaume d'Aquitaine, donna à la cour anglaise un grand éclat.

De la même façon, Chrétien de Troyes — le plus célèbre auteur de ces récits — vivait à la cour de Champagne, vers 1170-1180, auprès de la comtesse Marie, fille d'Aliénor.
Dans ses romans les plus connus, *Lancelot du Lac* et *Perceval le Gallois* (resté inachevé), il reproduit, en l'idéalisant, le monde qu'il a sous les yeux : le monde de la chevalerie, féodal et chrétien.

Aliénor d'Aquitaine

Il introduit la notion d'amour courtois, *la fin'amor*, très en vogue à cette époque. Amour en quelque sorte désincarné que le chevalier parfait doit vouer à sa « Dame », sorte de princesse lointaine pour laquelle il accomplira toutes sortes d'exploits.

C'est également Chrétien de Troyes qui évoque pour la première fois le Graal.

En plus des récits et romans, nombreux jusqu'au XVIᵉ siècle, les chevaliers de la Table Ronde ont inspiré des spectacles, et cela jusqu'à la Renaissance.

Des souverains comme Édouard III d'Angleterre ou René d'Anjou organisèrent des « Tables Rondes » et des cérémonies

à la façon de celles de la cour du roi Arthur. Assez vite, des enfants furent nommés Lancelot, Perceval ou Arthur.

Des manuscrits furent illustrés de scènes tirées des légendes arthuriennes.

Enfin, quelques chapiteaux, en haut de colonnes et des mosaïques d'église, montrent le roi Arthur.

Le roi Arthur et ses chevaliers

Les personnages, lieux et objets des légendes

Il y a d'abord les **souverains** :

- **Le roi Arthur,** roi de Bretagne, fils d'Uterpendragon, oncle de Gauvain, demi-frère de Morgane.
- **La reine Guenièvre,** sa femme, très belle, et dont Lancelot deviendra amoureux.
- **Divers rois,** ennemis d'Arthur ou alliés à lui.

Lancelot baisant Guenièvre

Viennent ensuite, comme dans toutes les légendes, le monde magique **des enchanteurs et des fées** :

- **Merlin**, qui aide Arthur à devenir roi et lui offre la Table Ronde.

• **La fée Viviane,** ou Dame du Lac, qui élèvera Lancelot et le protégera grâce à des enchantements. Merlin en est amoureux.

La fée Viviane et Merlin

• **La fée Morgane,** demi-sœur du roi Arthur, et plutôt méchante personne ! Enfin et surtout, ces **chevaliers** qui donneront leurs noms aux récits :

• **Perceval le Gallois** est le type du chevalier « aventureux », toujours prêt à se battre pour défendre les dames ou les demoiselles en difficulté. Il est membre de la Table Ronde et aime Blanchefleur.

• **Lancelot du Lac**, « le chevalier parfait » — ou presque ! —, beau, brave, courtois, follement épris de la reine Guenièvre, impossible amour...

Perceval le Gallois

À côté de ces deux figures centrales, d'autres chevaliers moins importants mais intéressants. Surtout Gauvain, neveu du roi Arthur, lui aussi chevalier de la Table Ronde, toujours épris de quelque dame et un peu tête folle...

Moins agréable est le chevalier Keu, frère de lait d'Arthur, sénéchal du royaume, toujours jaloux et très moqueur. On pourrait également citer Sagremor, Girflet, Mordred...

Lancelot du Lac

Et, il y a, bien sûr, de charmantes figures de « **demoiselles** », toutes belles et blondes, sur le modèle de cette Blanche-fleur dont Perceval est fort amoureux.

Les lieux de l'action sont, évidemment, ceux de l'époque. Des châteaux, souvent inquiétants, désolés ou assiégés, mais aussi des forêts — très nombreuses alors. Ce sont des lieux magiques par excellence avec leur double visage : d'ombre et de nuit propice à tous les maléfices, de clarté et de jour apportant les enchantements heureux.

Il y a également des cimetières, des gués où l'on peut passer les fleuves, non sans peine souvent. Ces lieux portent des noms

Les Chevaliers de la Table Ronde

imagés et évocateurs : la Douloureuse Garde, le Val sans Retour, la Forêt Gaste, le Gué Périlleux...

Il faut noter à propos des lieux que, dans tous ces récits, le nom « Bretagne » désigne l'actuelle Angleterre et celui de « Petite-Bretagne », la Bretagne française.

Les objets les plus typiques de ces légendes sont :

• **La Table Ronde** : elle a une forme peu fréquente au Moyen Âge où, le plus souvent, les tables étaient faites de grandes planches rectangulaires posées sur des tréteaux qu'on installait pour les repas. La notion moderne de salle à manger était alors inconnue !

La forme ronde de cette table permet aux douze chevaliers nommés par le roi de s'y asseoir en égaux. Il n'y a plus ni « haut bout » ni « bas bout ». Peut-être est-ce un rappel du cercle que formaient, autour de leur souverain, les guerriers celtiques des premiers temps.

• **Le Graal** est cette coupe mystérieuse qui va devenir un objet de « quête » (ou recherche) pour les chevaliers de la Table Ronde. Son origine varie selon les récits, mais elle aurait servi à la Cène du Christ ou bien aurait contenu son sang après sa mort. Cependant, aucun ne la trouvera, bien que plusieurs l'aient vue dans l'étrange demeure étrange du Roi Pêcheur.

Chevalier en prière devant le Saint-Graal

Les deux grandes figures du Moyen Âge sont le moine et le chevalier. L'un combat, l'autre prie.

Monde de la chevalerie, féodal et chrétien

Le monde de Perceval, de Lancelot, d'Arthur est donc à l'image de ce XIIᵉ siècle finissant pendant lequel écrivait Chrétien de Troyes. Il n'en reflète qu'une infime partie, celui d'une élite, d'un petit groupe de gens privilégiés. Le monde de la chevalerie est un monde particulier régi par des lois précises, un monde violent fait de guerres et de chasses, de batailles et de tournois, mais qui s'affine avec l'amour courtois et l'importance nouvelle prise par les femmes — du moins celles appartenant à cette même société courtoise.

Curieusement, dans ce monde marqué fortement par le christianisme, les enchantements et les fées sont présents. C'est toutefois le caractère religieux chrétien qui domine.

Au début de la carrière de tout chevalier, lors de la cérémonie dite de l'adoubement, le jeune

Un moine

homme doit passer la nuit en prière, assister à la messe et communier. Il est armé chevalier par son suzerain ou un seigneur plus âgé, mais ses armes doivent d'abord être bénies par le prêtre.

De même, le serment qu'il prête à cette occasion et qui va l'engager toute sa vie a un caractère religieux — car, s'il le dénonce, il sera mis au ban de la société et déclaré « félon ». Il jure devant ses pairs et devant Dieu de demeurer loyal envers son suzerain, de protéger les dames, les faibles, les opprimés, de défendre l'Église en toute occasion.

Les grandes fêtes religieuses, Pâques, la Pentecôte, jouent un rôle important. C'est le plus souvent lors de la Pentecôte que le roi Arthur réunit ses vassaux, adoube ses chevaliers, organise des tournois, ainsi que le faisaient les grands seigneurs et rois du XIIᵉ siècle.

Les mariages princiers ou les fêtes religieuses sont donc des

La cérémonie de l'adoubement

occasions de réjouissance, donnant lieu à des tournois somptueux où s'affrontent parfois des centaines de chevaliers. Ce monde de la chevalerie bouge beaucoup. Les chevaliers vont parfois loin pour guerroyer ou participer à des tournois, qui, pour certains, sont les seules sources de revenus. Les tournois se déroulent dans un champ clos, devant des tribunes où sont installées les Dames. C'est un honneur pour un chevalier de pouvoir arborer (c'est-à-dire montrer fièrement) au bout de sa lance un étendard aux couleurs de sa Dame.

Un tournoi

Les spectateurs plus modestes
sont debout derrière les bar-
rières. Les chevaliers, groupés
en deux camps, partent au galop
à la rencontre les uns des autres,
lance pointée pour faire tomber
de cheval leur adversaire.

Le vaincu doit
payer une som-
me d'argent à son
vainqueur tout
comme s'il était
fait prisonnier
dans un combat
réel : une façon
pour les cheva-
liers sans fortune
de gagner leur
vie, en quelque
sorte en « pro-
fessionnels » !

L'équipement et les armes du chevalier sont connus : il a sur la tête un casque nommé heaume. Il protège son corps avec une longue tunique en mailles métalliques : le haubert. Il porte, retenu au cou par un lacet de cuir, un bouclier ou écu fait de métal, de bois ou de cuir. Il est souvent peint de dessins ou coupé de bandes de couleur qui, plus tard, deviendront les armoiries ou signe distinctif des principales familles nobles.

Les armes se composent d'une épée, longue et souvent très lourde, qui oblige le chevalier à la tenir à deux mains pour se battre.

La lance est plus légère mais très longue et assez embarrassante. Elle se rompt souvent, du fait de sa dimension. On chasse avec un épieu et on utilise aussi le fléau d'armes, ou masse d'armes, dans les tournois.

CONTES ET LÉGENDES

La collection de la mémoire du monde

CONTES ET LÉGENDES

L'Iliade
Jean Martin

CONTES ET LÉGENDES

L'Odyssée
Jean Martin

CONTES ET LÉGENDES

Les douze travaux d'Hercule
Christian Grenier

CONTES ET LÉGENDES

La Mythologie grecque
Claude Pouzadoux

CONTES ET LÉGENDES

Les Héros de la mythologie
Christian Grenier

CONTES ET LÉGENDES

Les Héros de la Grèce antique
Christian Grenier

CONTES ET LÉGENDES

Les Héros de la Rome antique
Jean-Pierre Andrevon

CONTES ET LÉGENDES

La naissance de Rome
François Sautereau

CONTES ET LÉGENDES

Jason et la conquête de la Toison d'or
Christian Grenier

CONTES ET LÉGENDES

Les Métamorphoses d'Ovide
Laurence Gillot

CONTES ET LÉGENDES

Les Sept Merveilles du Monde
Anne Pouget

CONTES ET LÉGENDES

Les amoureux légendaires
Gudule